# LA FIN DE LA NUIT

# FRANÇOIS MAURIAC

DE L'ACADÉMIE FRANÇAISE

# *La fin de la nuit*

BERNARD GRASSET

# PRÉFACE

Je n'ai pas voulu donner dans " LA FIN DE LA NUIT " une suite à " THÉRÈSE DESQUEYROUX ", mais le portrait d'une femme à son déclin, que j'avais peinte déjà du temps de sa jeunesse criminelle. Il n'est aucunement nécessaire d'avoir connu la première Thérèse pour s'intéresser à celle dont je raconte ici le dernier amour.

Depuis dix ans que, fatiguée de vivre en moi, elle demandait à mourir, je désirais que cette mort fût chrétienne ; aussi avais-je appelé ce livre, qui n'existait pas encore, " LA FIN DE LA NUIT ", sans savoir comment cette nuit finirait : l'œuvre achevée déçoit en partie l'espérance contenue dans le titre.

Au lecteur qui souhaite avec raison que toute œuvre littéraire marque les étapes d'une ascension spirituelle, et qui peut-être s'étonnera de cette descente aux enfers où de nouveau je l'entraîne, il importe de rappeler que mon héroïne appartient à une époque de ma vie déjà ancienne et qu'elle est le témoin d'une inquiétude dépassée.

D'ailleurs, bien que j'aie écrit ces pages sans autre

intention que de mettre en pleine lumière la figure souffrante de Thérèse, je sais aujourd'hui ce que pour moi
elles signifient et ce que d'abord j'y découvre : c'est le
pouvoir départi aux créatures les plus chargées de fata-
lité, — ce pouvoir de dire non à la loi qui les écrase.
Lorsque Thérèse, d'une main hésitante, écarte ses cheveux sur son front ravagé, afin que le garçon qu'elle
charme la prenne en horreur et s'éloigne d'elle, ce geste
donne son sens à tout le livre. En chaque rencontre, la
malheureuse le renouvelle, ne cessant de réagir contre la
puissance qui lui est donnée pour empoisonner et pour
corrompre. Mais elle appartient à cette espèce d'êtres
(une immense famille!) qui ne sortiront de la nuit qu'en
sortant de la vie. Il leur est demandé seulement de ne pas
se résigner à la nuit.

Pourquoi interrompre cette histoire un peu avant que
Thérèse soit pardonnée et qu'elle goûte la paix de Dieu?
Au vrai, ces pages consolantes ont été écrites, puis
déchirées : je ne VOYAIS pas le prêtre qui devait
recevoir la confession de Thérèse. A Rome, j'ai découvert ce prêtre et je sais aujourd'hui (peut-être en quelques pages le raconterai-je un jour) comment Thérèse
est entrée dans la lumière de la mort.

                    Rome, fête de l'Épiphanie, 1935.

# I

— Vous sortez ce soir, Anna?

Thérèse, la tête levée, regardait sa servante. Le costume tailleur qu'elle lui avait donné était trop étroit pour ce jeune corps épanoui. Anna se tenait debout devant sa maîtresse.

— Vous entendez la pluie, ma petite? Qu'allez-vous faire dehors?

Elle aurait voulu la retenir, écouter le bruit familier des assiettes remuées et cette chanson incompréhensible dont l'Alsacienne reprenait inlassablement le refrain. Les autres soirs, jusqu'à dix heures, Thérèse se sentait rassurée par cette rumeur que fait un seul être vivant lorsqu'il est jeune. Durant les premiers mois, Anna avait habité, dans l'appartement, une petite pièce inoccupée. Et pendant la nuit, sa maîtresse surprenait des soupirs, des paroles confuses d'enfant qui rêve, parfois un grognement anima[1]. Et même lorsque la jeune fille était endormie du sommeil le plus calme, sa présence restait sensible à Thérèse, —

comme si elle eût entendu le sang courir dans ce corps couché derrière la cloison. Elle n'était pas seule; les battements de son propre cœur ne l'effrayaient plus.

Le samedi soir, la servante sortait; et Thérèse demeurait les yeux ouverts, dans les ténèbres, sachant que le sommeil ne viendrait pas avant le retour de la petite qui, parfois, ne rentrait qu'à l'aube. Bien qu'on ne lui posât jamais aucune question, Anna avait un jour transporté ses affaires à l'étage des domestiques : " pour être plus libre de courir, vous pensez! " dit la concierge.

Thérèse avait dû se rabattre sur le court réconfort que lui donnait la présence d'Anna jusqu'à dix heures. Quand la petite venait lui souhaiter le bonsoir et prendre les ordres pour le lendemain, la maîtresse s'efforçait de faire durer la conversation, l'interrogeait sur sa famille : " Avait-elle reçu des nouvelles de sa mère? ", mais n'obtenait le plus souvent que de brèves réponses, comme d'une enfant que les grandes personnes ennuient et qui est pressée d'aller jouer. Aucune hostilité, d'ailleurs; et même, parfois, un élan d'affection. Ce qui dominait pourtant, c'était cette indifférence de la jeunesse à l'intérêt qu'elle éveille chez les vieux qu'elle ne peut pas aimer. Thérèse tournait autour de ce monde clos : une paysanne, une domestique qu'elle gardait comme un morceau de pain bis dans sa prison, n'ayant pas le choix entre cette fille et une autre créature humaine. Elle n'insistait guère, d'habitude; et lorsque Anna avait dit : " Je souhaite une bonne nuit à Madame. Madame n'a plus besoin de rien? " Thérèse se rencognait, dans l'attente du coup au cœur que lui donnait toujours le bruit de la porte refermée.

Mais ce samedi-là, neuf heures n'avaient pas encore sonné; et déjà Anna semblait prête à sortir, dressée sur de hauts talons; et ses pieds un peu gras étaient comprimés par des souliers en faux lézard.

— Vous n'avez pas peur de la pluie, ma petite?

— Oh! il n'y a pas loin jusqu'au métro...

— Vous allez mouiller votre tailleur.

— On ne restera pas dans la rue! On va au cinéma...

— Qui cela " on "?

Elle répondit, l'air buté : " des amis... " et déjà elle gagnait la porte. Thérèse la rappela :

— Et si je vous demandais de rester, ce soir, Anna? Je ne me sens pas bien...

Elle entendait, avec stupeur, résonner ses propres paroles. Était-ce bien elle qui parlait? La servante maugréa : " Eh bien! alors! " mais déjà Thérèse s'était reprise :

— Non; à la réflexion, je me sens mieux... Allez
vous amuser, ma fille.

— Si Madame veut que je lui fasse chauffer du
lait?

— Non, non. Je n'ai besoin de rien. Allez-
vous-en.

— Je pourrais allumer le feu?

Thérèse dit qu'elle l'allumerait elle-même si
elle avait froid. Elle se retint de pousser la jeune
fille par les épaules; cette fois, loin de lui faire du
mal, le bruit de la porte refermée lui laissait une
impression de délivrance. Elle se regarda dans la
glace et se dit à haute voix : " Où en es-tu, Thérèse? " Mais quoi! S'était-elle plus humiliée, ce
soir, qu'à tout autre moment de sa vie? Devant la
traversée solitaire d'une soirée, d'une nuit, elle
s'était raccrochée, comme elle avait toujours fait,
à la première créature venue. N'être pas seule,
échanger des paroles, entendre respirer une jeune
vie... Elle ne demandait rien d'autre, mais cela
même n'était plus possible. Et comme toujours
aussi, une vague de haine montait du plus profond d'elle-même : " cette idiote serait vite perdue,
et elle finirait sur le trottoir... "

Thérèse eut honte de ce qu'elle éprouvait,
secoua la tête. Elle allumerait du feu ,— non que
cette soirée d'octobre fût froide; mais, comme on
dit, le feu tient compagnie. Elle prendrait un

livre... Que n'avait-elle songé à se procurer, cet
après-midi, un roman policier? Elle ne supportait
aucune lecture, en dehors des romans policiers.
Quand elle était jeune, elle se cherchait dans les
livres et soulignait au crayon certains passages.
Elle n'attendait plus rien maintenant de cette
confrontation avec les créatures inventées : toutes
disparaissaient, s'anéantissaient dans son propre
rayonnement.

Ce soir, elle ouvre pourtant d'une main hésitante la bibliothèque vitrée, — la même qui était
autrefois dans sa chambre de jeune fille, à Argelouse, au temps de son innocence, mais qui l'a vue
aussi jeune femme, lorsque l'état de son mari
l'obligeait de faire chambre à part... A cette
époque, Thérèse se souvient d'avoir dissimulé
pendant quelques jours, derrière les volumes de
l'*Histoire du Consulat et de l'Empire*, le petit paquet
contenant les drogues... Receleur de poison, ce
vieux meuble honnête, complice de son crime,
témoin de son crime... Comment a-t-il pu accomplir toute cette route depuis la métairie d'Argelouse jusqu'à ce troisième d'une maison ancienne,
rue du Bac? Thérèse hésite un instant, prend un
livre, le repose, ferme la bibliothèque, se rapproche
de la glace.

Elle perd ses cheveux comme un homme; oui,
elle a un front dévasté de vieil homme : " un front

de penseur... " prononce-t-elle à mi-voix. Mais c'est le seul signe apparent de vieillissement : " Quand j'ai un chapeau, je suis pareille à ce que je fus. On me disait déjà, il y a vingt ans, que je n'avais pas d'âge... "

De son nez trop court les deux plis qui rejoignent la bouche semblaient être à peine plus marqués qu'autrefois. Si elle sortait... Le cinéma? Non, ce serait trop de dépense; elle ne pourrait se retenir d'aller ensuite boire un verre de boîte en boîte... Elle commençait à avoir de petites dettes. Tout allait de mal en pis dans les Landes. Pour la première fois, les frais de la propriété ne laisseraient guère de bénéfice. Son mari lui a écrit quatre pages à ce sujet : on ne vend plus de poteaux de mines; les Anglais les refusent. Il faut pourtant faire les éclaircissages, car les pins commencent à souffrir. Ces éclaircissages, qui rapportaient naguère, coûtent gros maintenant. Les cours de la résine n'ont jamais été aussi bas... Il essayait de vendre des pins, mais les marchands faisaient des offres dérisoires...

Thérèse pourtant gardait ses habitudes d'autrefois, incapable de sortir dans Paris sans jeter l'argent comme du lest, pour s'élever un peu au-dessus de ce vide, pour atteindre, sinon au plaisir, du moins à l'étourdissement, à l'abrutissement. D'ailleurs elle n'avait plus la force physique d'errer

seule à travers les rues. Aucun secours ne lui était
jamais venu du cinéma : l'ennui, dans cette demi-
ténèbre, l'assaillait sans qu'elle se pût défendre.
La moindre créature vivante dont, au café, elle
suivait le manège, l'intéressait plus que ces images
sur un écran. Mais elle n'osait plus se livrer au
divertissement d'épier les autres, car elle ne passait
nulle part inaperçue. En vain s'habillait-elle de
couleurs neutres, cherchait-elle une place dissimulée : dans son aspect, elle ne savait quoi attirait
l'attention. Ou bien l'imaginait-elle peut-être?
Était-ce sa figure anxieuse, cette bouche serrée?

Dans sa mise, qu'elle croyait être correcte et
même sobre, régnait ce vague désordre, ce rien
d'extravagance où se trahissent les femmes vieil-
lissantes qui n'ont plus personne pour leur donner
des conseils. Thérèse enfant avait ri souvent de sa
tante Clara, parce que la vieille fille ne pouvait se
défendre de détruire les chapeaux qu'on lui ache-
tait et de les refaire à son idée. Mais aujourd'hui,
Thérèse cédait à la même manie et tout prenait
sur elle, à son insu, un caractère bizarre. Peut-être
deviendrait-elle plus tard une de ces étranges
vieilles coiffées de chapeaux à plumes, qui parlent
toutes seules sur les bancs des squares, en ratta-
chant des paquets de vieux chiffons.

Elle n'avait pas conscience de cette étrangeté;
mais elle s'apercevait bien qu'elle avait perdu ce

pouvoir dont les solitaires ne peuvent se passer,
— le pouvoir des insectes qui prennent la couleur
de la feuille et de l'écorce. De sa table, au café ou
au restaurant, Thérèse, pendant des années, avait
épié des êtres qui ne la voyaient pas. Qu'avait-elle
fait de l'anneau qui rend invisible? Voici maintenant qu'elle attire tous les regards comme la bête
inconnue du troupeau.

Ici, du moins, entre ces quatre murs, ce plancher
affaissé, ce plafond qu'elle aurait pu toucher de sa
main levée, elle était assurée d'être à l'abri. Mais
il fallait trouver la force de rester dans ces limites.
Or, ce soir, elle se sentait impuissante à demeurer
seule. Elle en eut la certitude, au point de céder à
un mouvement de terreur : s'étant de nouveau
rapprochée de la cheminée, elle se regarda dans
la glace et, d'un geste familier, fit glisser ses doigts,
lentement, le long de ses joues. Il n'y avait rien de
plus dans sa vie, à cette minute précise, que ce
qui toujours y avait été : rien de nouveau... Rien.
Et pourtant elle était sûre d'avoir atteint une
extrémité : comme lorsque le trimardeur s'aper-
çoit qu'il a suivi un chemin ne menant nulle part
et qui se perd dans les sables. Chaque bruit du
dehors s'isolait de la rumeur humaine, prenait
une valeur absolue : cette trompe d'auto, ce rire
de femme, le grincement d'un frein.

Thérèse alla à la fenêtre, l'ouvrit. Il pleuvait.

La vitrine du pharmacien brillait encore. Le vert et le rouge d'une affiche éclataient dans la lumière d'un réverbère. Thérèse se pencha, mesura de l'œil la distance jusqu'au trottoir. On eût dit qu'elle tâtait le vide. Pas le moindre courage pour s'y précipiter! Mais le vertige peut-être... Elle appelait le vertige et se défendait contre lui. Elle referma précipitamment la fenêtre, murmura : " Lâche! " C'est horrible d'avoir voulu donner la mort à autrui quand on la redoute pour soi-même.

Il y avait eu la veille quinze ans que Thérèse, escortée de son avocat, était sortie du tribunal de la sous-préfecture, avait traversé la petite place déserte en répétant à mi-voix : " Non-lieu! non-lieu! " Libre enfin avait-elle cru... Comme s'il appartenait aux hommes de décider qu'un crime n'a pas été accompli, lorsqu'il l'a été en effet! Elle ne s'était pas doutée, ce soir-là, qu'elle entrait dans une prison pire que le plus étroit sépulcre : dans la prison de son acte et qu'elle ne s'en évaderait jamais.

" Si je n'avais pas méprisé seulement la vie d'autrui, mais ma vie... " Depuis son unique tentative de suicide à Argelouse, même aux heures de désespoir, avait joué en elle, toujours vivace, l'instinct de conservation. Dans ses plus grands désordres, durant ces quinze années, elle avait suivi une certaine hygiène; elle avait toujours

ménagé son cœur malade. Ce goût de se détruire,
cette indifférence à leur propre destruction chez
les créatures adonnées aux drogues, elle n'y avait
jamais cédé, non pour des raisons nobles, mais
par terreur de la mort. Il n'avait pas fallu que le
médecin insistât beaucoup pour la résoudre à ne
plus fumer à cause de son cœur. On n'aurait pu
trouver une seule cigarette dans la maison.

Thérèse eut froid. Elle frotta contre sa semelle
une allumette de cuisine et la flamme se mit à
lécher ce mauvais bois qu'on achète si cher à
Paris. Mais ce crépitement, cette odeur de fumée
rappelaient à la Landaise des époques d'innocence :
le temps d'avant l'acte... Elle rapprocha son fauteuil le plus possible du foyer et, les yeux clos,
commença de caresser ses jambes, du même geste
qu'elle avait observé autrefois chez tante Clara. Ce
parfum des premiers feux en contenait beaucoup
d'autres : l'odeur du brouillard sur les tristes pavés
de Bordeaux et sur ceux de la sous-préfecture, —
l'odeur de la rentrée. Des visages apparaissaient
brièvement dans le champ de sa conscience puis
s'effaçaient : ceux qui avaient tenu une place dans
sa vie, du temps que les dés n'étaient pas encore
jetés, que les jeux n'étaient pas faits, que les choses
auraient pu être différentes de ce qu'elles avaient
été. Et maintenant, tout était accompli : impossible de rien changer au total de ses actes ; son

destin avait pris une figure éternelle. C'est cela que signifie : se survivre, — lorsqu'on a la certitude de ne pouvoir plus rien ajouter ni rien retrancher à ce qui est.

Elle entendit sonner neuf heures. Il fallait gagner un peu de temps encore, car il était trop tôt pour avaler le cachet qui lui assurerait quelques heures de sommeil. Non que ce fût dans les habitudes de cette désespérée prudente, mais ce soir, elle ne pouvait se refuser ce secours. Le matin, on a toujours plus de courage; ce qu'il fallait éviter à tout prix, c'était le réveil au milieu de la nuit. Elle redoutait plus que tout l'insomnie : lorsque, étendue dans les ténèbres, elle se trouvait livrée sans force à toutes les furies de l'imagination, à toutes les tentations de l'esprit. Pour échapper à l'angoisse d'être la femme qu'elle était, pour ne pas devenir la proie de cette foule muette où elle reconnaissait la figure maussade, aux lourdes joues, de Bernard, son époux, sa victime, et aussi le petit visage brun de sa fille Marie, qui avait dix-sept ans maintenant; tant d'êtres enfin qu'elle avait poursuivis, harcelés, qu'elle avait bouleversés, et qui l'avaient fuie; pour ne point se laisser étouffer par cette ruée de fantômes, elle n'avait d'autres recours, au long de ses nuits sans sommeil, que de choisir l'un d'entre eux, que d'apprivoiser tel être insignifiant et de revivre en esprit une brève joie sans len-

demain. Car cela seulement qui avait peu compté
dans sa vie, qui y avait tenu le moins de place,
recélait quelque douceur : amitiés à peine ébau-
chées, amours qui n'avaient pas eu le temps de se
corrompre.

Durant ses insomnies, Thérèse errait en pensée
sur ce champ de bataille, retournait les cadavres,
cherchait un visage encore intact. Combien en
restait-il dont le souvenir fût pour elle sans amer-
tume? Il avait fallu bien peu de temps à la plupart
de ceux qui d'abord l'avaient aimée, pour découvrir en elle cette puissance de destruction. Seuls,
l'aidaient encore les êtres qu'elle n'avait fait qu'en-
trevoir, qui s'étaient avancés sur le bord de sa vie,
de ceux-là seulement elle pouvait attendre une
consolation : des inconnus rencontrés une nuit, et
jamais revus... Mais il arrivait le plus souvent que
ces passants eux aussi échappaient à Thérèse,
même en imagination; ils s'évanouissaient; elle
s'apercevait soudain qu'ils n'étaient plus là et que
sa pensée vagabondait loin d'eux. Même en esprit,
ils refusaient d'être ses amis. Ils la laissaient seule
et alors d'autres surgissaient. Ah! ceux-là, qu'elle
aurait voulu les fuir! Ils réveillaient le souvenir
d'une humiliation, d'une honte. Il y avait presque
toujours eu un moment, dans ces misérables histoires, où elle s'était aperçue que le complice cherchait son intérêt... Oui, toujours avait surgi ce

moment de la parole insidieuse et de la main tendue : l'exploitation avait pris toutes les formes depuis l'emprunt direct jusqu'aux bonnes affaires à quoi on prétendait l'intéresser.

Thérèse, durant ces heures de la plus grande paix, lorsque le silence de la campagne déborde sur Paris, recommençait indéfiniment le compte de tout l'argent qu'elle avait prêté ou qu'on lui avait escroqué; réduite maintenant au nécessaire, elle s'irritait, s'exaspérait, confrontait le total de ses pertes avec celui de ses dettes, livrée tout entière à cette " peur de manquer " dont les vieillards de sa famille avaient été la proie...

Non, Thérèse ne s'exposerait pas, ce soir, à ces tortures. On peut forcer le sommeil. Il fallait attendre encore une heure. Encore une heure! Mais elle était à bout... Elle se leva, s'approcha de la table où était posé le phonographe, frémit à l'idée du vacarme possible, comme si les musiques prêtes à jaillir avaient eu ce pouvoir de renverser les murailles, de l'étouffer sous les décombres. Elle revint donc à son fauteuil et de nouveau regarda les flammes.

Ce fut alors, à la minute précise où elle songeait : " Comment supporter de vivre une seconde de plus? Et pourtant il n'arrivera rien, parce qu'il n'arrive jamais rien et que rien ne peut plus m'arriver ", ce fut alors qu'elle entendit la sonnette de l'entrée. Un coup bref, et qui lui parut formidable. Mais déjà, elle souriait de son émotion : ce ne pouvait être qu'Anna qui avait eu des remords, et qui avait craint que sa maîtresse ne fût vraiment souffrante... Non! pas même Anna : sans doute la concierge avait-elle promis d'aller se rendre compte, dans la soirée, si la vieille n'avait besoin de rien. Oui, sûrement, la concierge... (bien que ce ne fût pas son coup de sonnette).

## II

Thérèse alluma le lustre de l'entrée et demeura un instant aux écoutes : quelqu'un respirait derrière la porte.

— Qui est là?

Une voix fraîche répondit :

— C'est moi... Marie!

— Marie? Quelle Marie?

— Mais c'est moi, maman!

Thérèse regardait cette grande créature debout sur le seuil, le corps un peu infléchi par le poids de la valise qu'elle tenait dans sa main droite. L'enfant qu'elle avait vue pour la dernière fois, trois années plus tôt, ce ne pouvait être cette femme éclatante... Et pourtant elle reconnaissait la voix, le rire, les yeux bruns...

— Comme le fard t'arrange, mon enfant!...

Ce fut le premier mot de Thérèse, le mot d'une femme à une autre femme.

— Vous trouvez? Ce n'est pas l'avis de la famille... Quel bonheur! du feu!

. Elle avait jeté sur la valise son manteau et une écharpe tricotée. Un affreux chandail jaune moulait son buste de femme-enfant. Ses bras étaient brûlés, comme sa nuque trop large.

— D'abord, une cigarette... Hé quoi, maman? Vous ne fumez plus? J'en ai encore dans ma trousse... Après, je vous raconterai... Quelle histoire!

Elle s'agitait, et la pièce basse s'emplissait de son odeur. Elle alluma une cigarette et s'accroupit devant le feu.

— Où est ton père?

— Mais à Argelouse : il chasse la palombe. Que voulez-vous qu'il fasse, le 11 octobre, sinon chasser la palombe? Depuis qu'il a des rhumatismes, il a fait construire dans la cabane même une salle à manger parquetée, chauffée... Il y passe sa vie... Le monde peut bien crouler... il n'y a que les palombes qui comptent.

— Il t'a permis de venir me voir?

— J'ai pris la permission.

Thérèse s'était redressée. Elle respira profondément. Quelle joie! D'avance elle savait ce que la petite allait lui dire : qu'elle ne s'entendait pas avec son père, qu'elle ne pouvait plus le supporter, qu'elle venait chercher du secours, un refuge. Comment Thérèse ne l'avait-elle pas prévu? C'était sa fille après tout. " Elle n'a rien de sa mère ", répé-

taient les Desqueyroux. Mais si! ces pommettes
saillantes, et la voix aussi, le rire. Pourtant, Thérèse elle-même, dès la naissance de Marie, avait
toujours nié avec une espèce de fureur qu'il y eût
entre elles la moindre ressemblance. Et voici que
cette ressemblance maintenant la frappait. Les
êtres au milieu desquels Thérèse étouffait, vingt
années plus tôt, quelle apparence qu'une fille d'aujourd'hui les pût souffrir?

— Raconte, chérie...

— Donnez-moi d'abord à manger... Je meurs
de faim.

Elle n'avait pas eu assez d'argent pour le wagon-
restaurant. Son dernier franc avait servi de pour-
boire... Elle bégayait un peu et n'achevait pas ses
phrases, coupées par des exclamations : " C'est
marrant! C'est formidable! " Elle soufflait sa
fumée par le nez, crachait des parcelles de tabac.

— Je crains qu'il ne reste rien à manger ici... Il
faudra sortir.

Déjà Thérèse imaginait son entrée dans un
restaurant avec la petite, et en éprouva un malaise.
Elle alla tout de même explorer le garde-manger.

Le réveil d'Anna battait dans la minuscule cuisine, nette et luisante, où chaque casserole étin-
celait. Et tandis que Thérèse découvrait du
jambon, des œufs, du beurre, des biscuits, elle se
souvint des bouteilles de champagne qu'il y avait

toujours, autrefois, dans la glacière. Il en restait une, la dernière... Elle devait servir pour... Thérèse résolut de ne point l'ouvrir; mais déjà Marie l'avait rejointe :

— Quel bonheur! du champagne!

Elle ajouta qu'elle était célèbre pour ses omelettes :

— A la chasse à la palombe, c'est toujours moi qui les fais... Oh! mais vous n'avez pas de graisse? Quelle horreur, la cuisine au beurre! Tant pis, nous mangerons les œufs à la coque.

Dans cette petite pièce très éclairée, elle vit enfin sa mère qu'elle avait encore à peine regardée.

— Pauvre maman! Vous êtes malade?

Thérèse secoua la tête : le cœur n'allait pas... Et puis elle avait vieilli :

— A mon âge, trois ans, cela compte!

Déjà la petite avait allumé le gaz et tournait le dos à sa mère.

— Ton père est averti, n'est-ce pas?

— Non.

— Mais il va s'affoler...

— Vous ne le connaissez pas... Si! c'est vrai, vous le connaissez. Il ne s'affole jamais que pour lui-même, rappelez-vous. Est-ce qu'il voit les autres seulement? Est-ce qu'on existe à ses yeux!

Sans se retourner elle dit soudain, d'une voix grave :

— Si vous saviez, maman, comme aujourd'hui je vous comprends!

Thérèse ne répondit rien. La petite ajouta :

— Quel remords j'éprouve de vous avoir si mal jugée, pendant des années!...

Troublée peut-être par le silence de sa mère, elle se tut et feignit de surveiller la cuisson des œufs. De nouveau elle dit :

— Ce n'est pas ma faute : enfant, comment aurais-je pu imaginer votre vie entre papa et grand-mère?...

Soudain elle se retourna et d'un ton bourru :

— Pourquoi ne me répondez-vous pas? Je comprends que vous m'en vouliez... Comme vous êtes pâle, maman!

Thérèse murmura :

— Mais non! mais non! Viens m'aider à mettre le couvert.

Elle laissa Marie dresser la table devant le feu, disposer les assiettes. Elle demeurait immobile, dans le vestibule sombre, appuyée contre le mur. Marie allait d'une pièce à l'autre, en chantonnant, et Thérèse la suivait des yeux. Rien ne subsistait de sa joie. Qui était cette femme qu'elle appelait Marie? Pourquoi lui disait-elle : tu? Depuis trois ans, Bernard Desqueyroux avait trouvé divers prétextes pour empêcher leur réunion habituelle d'une semaine par an, sans que Thérèse se fût

plainte : " Suis-je ce qu'on appelle une mère dénaturée? "

Au vrai, avait-elle jamais arrêté sa pensée sur
cette enfant? Comme éblouie par sa propre
lumière, jeune mère, elle ne la voyait même pas.
Mais il ne s'agissait pas d'une indifférence monstrueuse... Plus tard, n'avait-elle pas fait exprès de
rester dans l'ombre? C'était l'intérêt de l'enfant...
Oui, Thérèse avait toujours étouffé au-dedans
d'elle-même cette voix qui appelait Marie. Déchue
de ses droits maternels à ses propres yeux, elle
n'avait jamais voulu revenir sur ce jugement. Les
décisions et les réglementations de Bernard Desqueyroux, ce n'eût été qu'un jeu pour Thérèse de
les tourner, mais son propre verdict était sans
appel. Et voici soudain ce qu'elle n'eût jamais
imaginé : la petite, ce soir, remettait tout en question... La petite qui n'était plus la petite... Pressée
des mêmes contraintes que sa mère avait subies,
elle avait étouffé dans la même cage... Et maintenant, l'enfant se croit solidaire de cette femme
évadée; sans même les connaître, elle entre dans
toutes ses raisons et non seulement lui trouve des
excuses, mais l'approuve.

Ce n'était pas de jeu. Thérèse n'avait pas voulu
cela. Toujours elle s'était rassurée sur ce que sa
fille ne lui ressemblait en rien, sur ce que c'était
une Desqueyroux. Elle avait accepté d'être jugée

et condamnée par cette petite Desqueyroux. Que savait Marie, au fond, de précis, en ce qui concernait sa mère? On n'avait pas dû entrer dans les détails; mais impossible qu'on ne l'eût avertie suffisamment pour lui laisser pressentir toute l'horreur de ce qui s'était accompli peu après sa naissance, dans une salle d'Argelouse. Thérèse, une fois pour toutes, s'était résignée à cet abîme que son acte avait creusé entre elle et Marie... Et pourtant Marie est là, debout devant la glace, le bras levé, une main appuyée contre ses cheveux sombres, comme une jeune fille dans la chambre de sa mère... C'était sa fille, cette merveille. Thérèse prononça à mi-voix : " Ma fille... " et ces mots à peine entendus retentirent jusqu'au tréfonds de son être. Elle s'éloigna du mur où elle s'appuyait dans le vestibule et appela à haute voix :

— Ma petite fille...

Marie se retourna et lui sourit, sans rien remarquer d'étrange dans l'expression du visage maternel : dégel, brusque printemps, Thérèse les connaissait! mais il ne s'agissait plus, cette fois, d'un mouvement de la chair, d'une agitation du sang, d'un miracle du désir. En face de Marie qui mangeait avec une voracité de pensionnaire, elle ressentait profondément ce bonheur... A quoi l'eût-elle comparé? Quand le train sort d'un tunnel interminable, à l'humidité de l'air sur le visage, à

une odeur de feuille et d'herbe... Mais elle détourna
les yeux pour ne pas voir Marie, attentive à débou-
cher la bouteille de champagne.

— Vous verrez! ça ne fera pas de bruit...

Ce geste précautionneux pour retenir le bou-
chon, Thérèse l'avait vu faire par d'autres, par un
autre en particulier... Il faudrait éloigner Marie;
bien profiter de cette minute, car il n'était pas possible qu'elle demeurât longtemps ici. Thérèse
s'accordait la permission de ce soir, de cette nuit.
Elle se donnait cette joie et puis elle rendrait la
petite à son père. Elle regardait sa fille. Elle aimait
un être qui n'était pas une proie. La petite parlait,
se perdait dans un long réquisitoire contre son
père et contre sa grand-mère : un lacis d'histoires
embrouillées.

— J'aimais encore mieux le couvent; mais ils
disent que le couvent est devenu trop cher. Depuis
la débâcle de la résine, vous ne pouvez imaginer
leur affolement... Et cette peur de manquer! J'ai
eu un seul bal, l'année dernière, un pauvre bal chez
les Courzon. Nous avons refusé, sous prétexte que
j'étais trop jeune, et qu'on ne danse pas en carême!
Tout simplement, ils ne voulaient pas faire les frais
d'une robe. Mais si! ne me dites pas le contraire,
maman. Vous les connaissez mieux que moi. Vous
entendez d'ici grand-mère : " On n'accepte pas de
politesses quand on n'a plus le moyen de les

rendre. " Ça vous fait rire? Avouez que je l'imite bien.

— C'est ta grand-mère, Marie.

— Non, maman! Vous, du moins, ne me faites pas la leçon. Je ne la juge pas... Je la déteste dans la mesure où je dépends d'elle... Auprès de vous, je l'oublierai, j'oublierai papa. Ce sera facile de ne plus les haïr quand je ne les aurai plus toute la journée derrière mon dos. Vous, vous me comprendrez...

— Non, Marie, il ne faut pas parler ainsi... Non!

Elle lui revenait, la préférait aux autres... Quelle revanche! Mais Marie avait-elle en main toutes les pièces du procès de sa mère? Que savait-elle exactement? Bernard avait dû l'éclairer assez pour lui faire peur. Autrefois, durant leurs brèves rencontres, Thérèse avait observé chez la petite des mouvements craintifs... Et pourtant elle est là, ce soir...

— Non, ma chérie : ton père avait ses défauts; mais ce n'était pas un avare.

— Vous ne savez pas ce qu'il est devenu. Si vous ne le supportiez pas, il y a quinze ans, que feriez-vous aujourd'hui? Vous ne pouvez imaginer... Il faut les entendre, grand-mère et lui : " On ne peut plus mettre de côté, maintenant... Tout ce que l'on met de côté se perd; et le reste va

au percepteur. Tu devras travailler, ma petite...
Nous en arriverons là : il faudra que tu travailles ! "
Si vous voyiez leur tête quand je leur réponds :
" Eh bien ! le beau malheur ! je travaillerai... " Ils
voudraient que je gémisse avec eux. Ils ne com-
prennent pas que j'accepte mon époque.

" Ce mot-là n'est pas d'une petite fille, songeait
Thérèse. Elle répète ce qu'elle a entendu dire par
une amie plus âgée, peut-être, ou par un garçon ? "

— Marie, regarde-moi en face.

La petite posa son verre et sourit.

— Dans tout ce que tu racontes, je ne vois que
des raisons d'être agacée, irritée même, si tu
veux... Mais cela ne suffirait pas à te dresser ainsi
contre eux, ni surtout à te ramener auprès de
moi...

Elle avait prononcé ces derniers mots presque
à voix basse.

— Il y a autre chose... une chose qu'il faut me
dire...

L'enfant ne baissa pas la tête. Ce fut à peine si
Thérèse s'aperçut, à un battement de paupière, à
une brusque rougeur, qu'elle avait touché juste.

— Marie, tu ne m'as pas tout dit...

— Vous ne m'en laissez pas le temps... Vous
êtes trop fine, maman. Vous devinez tout.

— Est-il très gentil ?

— Gentil ? non : il est le contraire de ça. Gentil ?

Voilà justement un de ces mots qu'il déteste...
C'est quelqu'un, vous savez.

Elle avait allumé une cigarette, s'était accoudée :
une femme, tout à coup, une femme lourde.

— Ma petite fille, raconte-moi tout.

— Croyez-vous que je sois venue pour autre
chose?

— Tu n'es venue que pour cela, bien sûr.

— Bien sûr!

Encore la vieille douleur familière : Thérèse
avait cru, cette fois, atteindre la région bienheu-
reuse où l'être aimé ne peut plus nous faire de mal,
puisque nous n'espérons plus rien de lui. Mais il
n'existe pas d'amour tout à fait désintéressé. Aussi
peu que ce soit, nous attendons quelque chose en
retour de ce que nous donnons. Thérèse croyait
avoir tout prévu d'avance : elle s'était armée; elle
avait rassemblé ses forces pour détacher d'elle la
petite et pour la rendre à son père; et brusquement, elle découvrait qu'il était inutile de la détacher, puisqu'elle ne s'était pas attachée : " Ce n'est
pas de moi qu'il s'agit... Je serais morte sans l'avoir
revue si elle n'avait eu besoin de mes services...
Elle s'est rappelé que j'existais le jour où il lui a
fallu se défendre contre son père, défendre son
amour... "

Thérèse reconnaît ce goût de fiel : jusque dans
sa tendresse pour sa fille, elle retrouvait son vieil

ennemi, son ennemi de toujours, la passion que l'être aimé éprouve pour un autre. C'était toujours dans l'intérêt de cette passion qu'elle avait été recherchée. Elle avait toujours servi; elle avait toujours été utilisée.

Marie l'examinait avec inquiétude : sa mère avait changé de visage. L'innocente ne se doutait pas que ce masque cruel et rusé, cette bouche serrée, ces yeux froids, que tout cela constituait pour la plupart de ceux qui l'avaient connue, la véritable Thérèse. Elle se sentit intimidée par cette voix trop douce :

— Pourquoi veux-tu me mêler à tes histoires?

— Vous êtes notre dernier recours...

— J'aurais pu mourir, Marie! Si tu n'avais eu besoin de moi...

Elle éclata d'un rire vite interrompu. La jeune fille se sentit blessée et dévisagea sa mère :

— Mais, maman, ce n'est pas moi qui vous ai quittée.

Thérèse détourna la tête, mit une main sur ses yeux. Marie se leva pour l'embrasser. Mais Thérèse se dégagea.

— Tiens, débarrasse la table.

Quand la petite revint de la cuisine, sa mère était debout, accoudée à la cheminée. Elle lui dit, sans un regard :

— Je n'ai abandonné personne, Marie. C'est

moi qui suis, de naissance, une abandonnée. Tu ne peux pas comprendre.

Non, elle ne comprenait pas. Mais, bouleversée, elle chercha de nouveau à embrasser sa mère qui se déroba, doucement.

— Je vous aime, maman, vous ne le croyez pas? Je vois que vous ne le croyez pas. Pourquoi ne voulez-vous pas que je vous embrasse?

— Tu le sais, Marie.

— Je le sais?

Thérèse secoua la tête :

— Laissons cela... Je t'écoute, ma chérie. Raconte.

Elle ne se fit pas prier. Elle entraînait Thérèse dans les détours de la dispute misérable qu'elle soutenait contre son père et contre sa grand-mère à propos de Georges Filhot qu'elle aimait. Et eux feignaient de ne vouloir pas entendre parler d'un mariage qu'ils jugeaient humiliant. Appauvris, et presque ruinés, Thérèse s'étonnait qu'ils crussent encore aux préséances.

Elle se souvenait fort bien de cette famille Filhot qui avait été, pendant un siècle, établie dans la même métairie des Desqueyroux, et du vieux Filhot qu'elle avait vu dans son enfance tricoter en gardant ses brebis. Le fils et le petit-fils, devenus marchands de biens, avaient fait une fortune énorme pendant la guerre. Mais, disait Marie, ils l'avaient en partie reperdue; et Bernard Desqueyroux, qui avait été au moment de céder, était redevenu intraitable et d'autant plus que les Filhot affectaient eux aussi une vive hostilité à ce projet : Marie croyait bien que c'était par orgueil.

— Notez qu'ils ont encore une très grosse fortune. Évidemment, ils sont atteints par la crise. Auguste Filhot (le père de Georges) avait fait un coup énorme, sur plus de vingt mille hectares; il devait se payer, comme il faisait toujours, avec le bois à couper, et avoir la terre pour rien... Mais il a été pris par la baisse... Tout de même ils sont encore beaucoup plus riches que nous... Il y a la famille, c'est entendu! mais lui, il est très distingué; c'est d'ailleurs un esprit supérieur; il va suivre les cours des Sciences Politiques.

Thérèse songeait : " Ces paroles ne lui ressemblent pas; elle répète les propos de son entourage. Jeune fille, j'ai dit les mêmes bêtises. En famille, les autres nous imposent leur élément : nous ne pouvons que nager dans cette eau saumâtre; c'est déjà beau de ne pas couler! "

Et puis, que lui importait maintenant! Elle savait pourquoi la jeune fille avait pris le train de Paris. Georges Filhot allait suivre les cours des Sciences Politiques : il s'agissait pour Marie de ne pas demeurer loin de lui.

— Oh! j'aurais eu la force de supporter la séparation. Bien sûr, j'aurais eu ce courage... Mais vous
me comprenez, maman : il aurait fallu avoir
confiance. C'est un garçon... Je ne sais s'il en existe
beaucoup comme lui. Il m'aime, oui! mais seulement quand nous sommes ensemble. Je ne
l'avouerai qu'à vous : il dit souvent des choses
horribles. Il dit : " Quand vous n'êtes plus là, c'est
fini; je pense aux choses qui m'intéressent et aux
êtres que je vois... " Je suis sûre qu'il me préfère
à toute autre; mais absente, je ne pèse pas lourd;
c'est comme ça qu'il est. Alors, vous comprenez
ce que serait cette séparation...

— Oui, c'est pourquoi tu es venue? Mais tu
n'as pas songé... ma petite fille, tu n'as pas songé
(Thérèse hésita une seconde) que je suis compro-
mettante?

Marie devint rouge et protesta faiblement.

— Mais non, maman!

— On m'avait oubliée. Le temps m'a recou-
verte, ensevelie... Les gens ne savaient plus que tu
avais une mère. Et tout à coup, voilà que tu
m'exhumes. Et non contente de m'arracher à mon
sépulcre, tu te réclames de moi, tu te mets sous
ma protection, toi et ton amour. Sous la protection de...

Elle prononça son prénom et son nom à voix
si basse que Marie les entendit à peine.

— Songe à ce qu'éveille ce nom dans l'esprit des gens...

— Rien dont je doive rougir, maman.

La petite avait répondu du ton le plus tranquille.

— Tu es folle, Marie.

Mais l'enfant se leva sans rien dire, vint à sa mère, la prit dans ses bras. Thérèse la repoussait et répétait :

— Tu es folle... tu sais...

— Oui, je sais. Et après?

— Puisque tu sais...

— Je sais... enfin, j'ai deviné, si vous aimez mieux.

— Et tu m'embrasses?

— Oh! maman, je ne vous juge pas. Et si je vous jugeais...

Elles étaient debout l'une en face de l'autre. Thérèse fit le geste de lui mettre la main sur la bouche :

— Tu me pardonnerais?

— Vous pardonner? mais vous n'avez rien fait...

— Ce qui pèse sur toi parce que tu es ma fille...

— Est-ce si grave?

— Qu'y a-t-il de plus grave au monde?

— Mais, maman...

Thérèse, stupéfaite, la regardait :

— Pourtant, ce qu'ils ont dû t'en rebattre les oreilles!

— Sans doute ont-ils deviné que je n'aurais pas souffert leurs calomnies : je dois dire qu'ils n'ont jamais rien formulé...

— Quoi? pour expliquer mon absence...

— Ils sont toujours restés dans le vague. Une ou deux fois, papa a parlé devant moi d'incompatibilité d'humeur. Et au fond, en dépit de tout ce qui a pu se passer, je pense qu'il a raison et que tout se ramène à cela. Incompatibilité d'humeur... je suis payée pour savoir ce que cela signifie!

Thérèse, qui avait courbé la tête, la relevait maintenant et observait Marie. Était-ce possible que le soupçon du crime l'émût aussi peu! Elle s'étonnait que sa belle-mère, son mari se fussent tus. Il fallait s'incliner devant cette charité imprévue. Oh! ce n'était pas pour Thérèse qu'ils avaient consenti au silence, mais pour l'honneur de la famille, pour ménager la sensibilité de Marie. Tout de même, quels que fussent leurs motifs, ils n'avaient jamais rien dit qui pût abaisser Thérèse dans l'esprit de sa fille. Mais alors...

— Pourquoi me regardez-vous ainsi, maman?

— Je pensais... je pensais qu'il fallait admirer ton père qui aurait pu me perdre à tes yeux.

— Vous perdre à mes yeux! Mais je vous en aime davantage!

Thérèse s'était levée et rapprochée de la bibliothèque. Tournant le dos à sa fille, elle touchait les livres, les remettait en place.

— C'est impossible que tu saches... Si tu savais...

— Eh bien! quoi! Vous avez aimé quelqu'un? Vous êtes partie? C'est cela? Ce n'était pas difficile à deviner! Pourquoi vous en voudrais-je?

Voilà donc ce que la petite croyait, ce qu'elle soupçonnait! Il fallait lui ouvrir les yeux. Impossible d'aller jusqu'au bout de l'aveu : c'était au-dessus des forces de Thérèse. A quoi bon, d'ailleurs? Il suffirait d'en dire assez à l'enfant pour l'éloigner.

— Viens ici. Non, non : pas sur le bras de mon fauteuil. Non, je ne veux pas que tu m'embrasses. Assieds-toi sagement sur cette chaise basse qui vient d'Argelouse et que tante Clara appelait une chauffeuse. Écoute : c'est très beau, cette discrétion à mon sujet. Mais oui, très beau! Ils auraient pu dire...

— Mais, maman, puisque cela vous grandit à mes yeux de n'avoir pu supporter cette vie!

— Qu'en pensent les Filhot?

Elle parut embarrassée. Oui, sans doute, ils avaient fait souvent allusion à des événements que la jeune fille ne connaissait pas. Ils avaient insinué que c'étaient les Desqueyroux qui avaient des concessions à faire. Mais le point de vue des gens de Saint-Clair et d'Argelouse n'intéressait pas Marie.

— Écoute, approche-toi. Je voudrais qu'il fît noir pour te parler. Rentre à Argelouse, mon enfant. Vite, vite... ne me demande rien.

Elle ajouta presque à voix basse : " Je ne suis pas digne... " Et comme Marie n'avait pas entendu, elle répéta :

— Je ne suis pas digne.

— Une mère est toujours digne...

— Non, Marie.

— Savez-vous ce que je découvre tout à coup ? C'est que vous êtes bien plus de votre temps que je ne l'imaginais. Chère maman ! vous vous jugez vous-même comme l'ont fait les gens de Saint-Clair et d'Argelouse. Vous vous condamnez au nom des mêmes principes ; vous vous faites une montagne de ce qui, pour une fille de mon âge, n'offre rien de répréhensible. Vous croyez que l'amour c'est le mal...

— Non, je ne crois pas que *ton* amour soit le mal.

— Mais, maman, l'amour est toujours l'amour : ce n'est pas parce que vous étiez mariée...

— Tu n'es donc plus pieuse, ma petite fille ?

Elle secoua la tête et d'un ton plein de prétention :

— Georges m'a aidée à dépasser ce stade... Ça vous fait rire, maman?

Thérèse se forçait à rire : toute la vulgarité d'un être tient dans un mot, dans une façon de le prononcer. Elle souffrait de ce que Marie avait dit : " ce stade. " La petite avait rapproché la chaise basse et ses genoux touchaient ceux de sa mère. Elle y appuyait ses deux mains jointes et contemplait Thérèse avec cette expression attentive et passionnée des jeunes filles qui se font des confidences, qui parlent de leur cœur.

— Comprends-moi : ne m'oblige pas à en dire plus qu'il ne m'est possible. Non, l'amour n'est pas forcément le mal... mais le mal est si affreux quand un semblant d'amour ne le masque pas!

Elle prononça quelques mots à voix presque basse; comme Marie interrogeait : " Quoi? "

— Rien; rien...

Elles gardèrent le silence. Que les yeux de Marie, fixés sur sa mère, paraissaient grands! Elle s'était un peu écartée, les mains croisées, le buste droit. Thérèse avait pris les pincettes et arrangeait le feu.

— Ne cherche pas à comprendre. Je ne suis pas quelqu'un de bien. Imagine tout ce que tu pourras.

Ayant répété : " Je ne suis pas quelqu'un de bien ", elle entendit glisser, sur le parquet, la chaise basse. Marie s'éloignait encore un peu.

Thérèse leva les mains, les appuya contre ses yeux.
Elle qui ne pleurait jamais, que lui arrivait-il, ce
soir? Il ne fallait pas que la petite s'en aperçût.
Mais les larmes coulaient entre ses doigts, plus
chaudes et plus pressées qu'aux jours de son
enfance. Sa poitrine se soulevait comme en ce
temps-là; et de nouveau la chaise basse s'était
rapprochée. D'impatientes mains avaient saisi les
poignets de Thérèse, l'obligeaient à découvrir son
visage.

Marie essuyait les joues de sa mère avec un
mouchoir; puis elle l'entoura de ses bras, et couvrit de baisers le front dévasté, les pauvres cheveux; mais Thérèse, d'un seul mouvement,
s'arracha à cette étreinte et debout, presque
furieuse :

— Va-t'en... Tu partais déjà; j'en avais assez
dit; et voilà que tout est à refaire, à cause de ces
larmes... Idiote que je suis!... Marie, ne me
demande plus rien. Crois-moi sur parole.

Elle détachait chaque syllabe :

— Je ne suis pas une femme avec laquelle tu
puisses demeurer. Tu me comprends?

Marie secouait la tête :

— Eh bien! quoi! Vous avez vécu! et après?
Au sortir d'Argelouse, quoi que vous ayez fait,
vous aviez des excuses...

Thérèse ne pouvait tout de même pas aller plus

loin dans l'aveu. Personne au monde n'avait le droit d'exiger cela d'elle. Mais comme elle répétait : "Impossible que tu restes! Impossible!" Marie l'interrompit :

— Ah je comprends : vous n'êtes pas libre? Je n'y avais pas songé. Votre vie est organisée de telle façon, que je ne saurais y avoir de place. J'imaginais des choses dans le passé...

— Oui, comment aurais-tu supposé qu'une vieille...

Lui laisser croire cela! Et pourtant il était nécessaire qu'elle le crût. Elle ressentirait du dégoût... Valait-il mieux qu'elle connût la vérité? Oui, mais il aurait fallu que Thérèse ne vît pas sa fille se lever, arranger ses cheveux devant la glace, chercher son béret.

— Non, non, Marie je n'ai personne. J'ai menti.

La jeune fille respira fortement, regarda sa mère en souriant :

— Je me doutais bien...

— Je suis seule. Je n'ai jamais été plus seule.

— Vous allez avoir quelqu'un auprès de vous, désormais.

Thérèse suivait des yeux la petite qui rejetait le béret sur une chaise, s'installait de nouveau en face d'elle, cherchait son regard. Pourquoi avoir été si lâche? Tout était au moment de s'arranger :

elle l'aurait accompagnée au Palais d'Orsay. Dès le matin, un télégramme eût été expédié à Bernard Desqueyroux... Mais maintenant, il fallait recommencer cette lutte épuisante.

Elle suppliait Marie d'être raisonnable, de la croire sur parole : elle avait eu les torts les plus graves envers son mari; malgré cela il s'était montré généreux; beaucoup plus même qu'elle ne l'avait cru; il n'avait rien fait pour la diminuer aux yeux de Marie, ni pour la rendre odieuse...

— Si c'est cela qui vous arrête...

Marie hésita un instant, s'approcha de sa mère, s'assit sur un bras du fauteuil :

— Écoutez, il vaut mieux que vous sachiez tout... C'est entendu, on ne m'a rien dit... par scrupule religieux, j'imagine. La bonté n'entre pour rien dans leur silence, vous pouvez m'en croire. Car ils se sont rattrapés au-dehors... Chaque fois que dans une conversation je me risquais à prononcer votre nom, les gens rougissaient, détournaient les yeux... D'ailleurs, maintenant, je ne m'y expose plus. Georges, lui-même (vous voulez bien que je vous dise tout?) s'il existe quelqu'un avec qui je m'exprime librement, c'est lui. Eh bien! je ne suis pas encore arrivée à ce que nous nous expliquions ouvertement à votre sujet. Je vois bien qu'il imagine Dieu sait quoi! Je voudrais le détromper. Rien à faire. Si j'insiste, il prend son

chapeau. Ah! non, ils n'ont pas dû vous ménager;
et vous n'avez pas à vous mettre en frais de gratitude. Ils ont même dû "aller fort", pour que les
Filhot, que notre alliance devrait flatter, fassent la
petite bouche. Quel état d'esprit, hein? Parce que
ma mère n'a pas consenti à mourir étouffée dans
une maison d'Argelouse... Maman, vous ne m'en
voulez pas?

Thérèse la repoussait, se raidissait. Quand elle
parla, Marie aurait pu croire qu'elle avait marché
vite, qu'elle était essoufflée. Elle disait :

— Eh bien! tu vois? Je te porte tort... Je ferai
manquer ton mariage... Georges Filhot sait-il que
tu es auprès de moi?

Marie secoua la tête d'un air gêné.

— Tu le lui as caché?

Elle répondit qu'elle comptait lui faire la surprise :

— Je supposais que la joie de me savoir à Paris
le ferait passer sur...

— Sur ma présence? Eh bien! non! non!
Quitte-moi sans délai. Ton avenir en dépend. Ne
m'oblige pas à en dire davantage.

Elle s'était penchée de nouveau vers le feu.
Cette fois, Marie parut troublée. Elle s'éloigna de
quelques pas, considérant sa mère :

— Mais enfin, maman, qu'est-ce qu'il y a eu?
Vous n'êtes tout de même pas une lépreuse?

Thérèse murmura : " Tu ne crois pas si bien dire... " et respira profondément. Enfin! le but était touché. Marie regardait autour d'elle, cherchait ses affaires.

— Je t'emmène en taxi; je t'installe au Palais d'Orsay et demain matin, j'irai t'embrasser au train... Il part à sept heures cinquante ou huit heures dix... je ne me rappelle pas. On nous renseignera à l'hôtel.

Thérèse ne retenait pas ses larmes. Ce n'était plus la peine d'essayer de donner le change. Son chagrin n'allait pas sans douceur : elle avait fait ce qu'elle devait faire; et tout de même elle avait évité d'aborder le sujet horrible... Mais soudain, Marie s'étant rapprochée de sa mère, le front dur, déclara qu'elle ne partirait pas avant d'avoir appris l'essentiel de ce qu'on lui cachait depuis tant d'années :

— Il ne s'agit pas de moi, ni de vous, mais de Georges. Il faut que je sache ce qui nous sépare. Si cette chose que j'ignore est telle que vous me le laissez entendre...

Ce ton menaçant rendit à Thérèse son sang-froid. Elle fit front :

— Je t'en ai dit assez. Imagine ce qu'il te plaira. D'ailleurs, maintenant que tu es avertie, il te sera facile de faire jaser les gens. C'est même étrange qu'au couvent, aucune de tes compagnes n'ait fait

allusion... Tu n'as jamais reçu de lettre anonyme?
Non? Pour une fois, les hommes auront donc été
au-dessus de ce qu'on est en droit d'attendre d'eux.
Mais je vois que je te donne des idées...

Elle observait Marie, ce visage contracté, ce
regard perdu... Oui, la petite avait eu, bien des
fois, le sentiment que sa venue interrompait des
propos, que soudain toute la classe la regardait,
comme s'il y avait eu dans les paroles de la maîtresse une allusion qu'elle était seule à ne pouvoir
saisir. Mais ce qui accaparait, en cette minute,
toute la puissance de son attention, c'était le souvenir d'un incident survenu l'année précédente :
cette petite métayère, Anaïs, qui était du même
âge qu'elle et qu'on lui avait donnée comme
femme de chambre... Elle avait d'abord paru
s'attacher à Marie avec passion. Mais Marie ne
montrait guère de douceur aux créatures qui
l'aimaient et qu'elle n'aimait pas. Cette noiraude
lui était d'ailleurs antipathique, et même lui donnait
du dégoût, étant mal tenue et mal odorante. Elle
ne lui épargnait pas toujours les rebuffades, que
la fille parut supporter assez bien jusqu'au jour,
où, comme d'ailleurs tout le village, elle sut que
le fils Filhot " fréquentait " mademoiselle. On
apprit plus tard qu'elle était à la source des ragots
qui coururent alors (elle avait laissé entendre
qu'une nuit Marie avait reçu le jeune homme

dans sa chambre). On la mit à la porte, et à la suite
d'une explication violente, ses parents eux-mêmes
durent quitter la métairie.

Deux ou trois mois plus tard, Marie avait
trouvé dans son courrier une enveloppe qui
contenait un fragment d'article découpé dans un
journal de Paris. Il s'agissait d'une affaire criminelle dont on avait parlé pendant quelques jours;
Marie ne suivait guère les journaux et n'était au
courant de rien. Pourtant elle lut avec attention
les lignes qu'une main inconnue avait détachées
pour elle. C'était un passage du réquisitoire,
autant qu'elle en pût juger; mais le commentaire
où elle aurait trouvé quelque éclaircissement fai
sait défaut.

Elle chercha en vain dans *La Petite Gironde* et
dans *La Liberté du Sud-Ouest* un écho de ce drame.
La coupure qu'elle avait reçue datait sans doute de
plusieurs semaines. Il lui eût été facile de réciter
ce texte par cœur, sans se tromper d'un mot :
*Messieurs les jurés, l'honorable défenseur va, dans un
instant, faire appel à vos cœurs de pères, il cherchera à
vous attendrir sur le sort des enfants de l'accusée. Eh
bien! au nom de la justice et de la société outragée, j'ose,
moi aussi, évoquer devant vous ces innocents. Ils sont les
premières victimes de cette créature dénaturée. A cause
d'elle, désormais, tant qu'ils vivront, ils seront montrés
du doigt; et ils entendront renaître sans cesse autour*

*d'eux la parole terrible : " Regardez-les! voilà les*
*enfants de l'empoisonneuse. "*

Le temps d'une seconde, le regard de Marie
rencontra celui de sa mère. Ce fut la jeune fille
qui baissa les yeux. Jamais, dans son esprit, il ne
s'était établi le moindre rapport entre l'aventure
inconnue de Thérèse Desqueyroux et une affaire
criminelle... du moins dans sa conscience claire.
Pourtant elle s'était gardée de montrer à son père
la coupure du journal parisien, et l'avait brûlée
sans en souffler mot à personne, — par apathie
peut-être, ou paresse d'esprit, indifférence, horreur
des complications...

D'ailleurs, à cette minute même, elle s'accuse
de folie : personne de la famille n'est mort assas-
siné; personne n'est jamais passé en jugement; sa
mère a toujours été libre, aussi loin que remontent
ses souvenirs.

Thérèse la regardait souffrir, dans un état de
sécheresse, d'indifférence. Elle ne sentait plus rien,
attendait le verdict. Il lui semblait probable qu'elle
n'aurait rien à dire : simplement à répondre à une
ou deux questions, et ce serait fini.

" Qui était mort dans la famille? se demandait
Marie. Tante Clara? elle ne se souvenait pas
de cette vieille fille. Mais ce ne pouvait être
d'elle qu'il s'agissait : sa mère l'avait beaucoup
aimée, la pleurait encore. Sans doute fallait-il

chercher la victime en dehors de la famille? "

Parfois une goutte de pluie giclait sur le balcon, distincte de toutes les autres. Marie allait interroger sa mère... Thérèse se disait qu'elle répondrait par oui ou par non. Elle attendait le coup. Et soudain :

— Jurez-moi que personne n'est mort à cause de vous.

— Je te le jure, Marie; personne.

La jeune fille respira.

— Vous n'avez jamais été jugée, maman?... enfin, je veux dire, par un tribunal?

— Jamais.

— C'est votre faute : toutes vos réticences! Vous me pardonnez?

Thérèse inclina la tête.

— Puisque vous n'avez jamais eu aucun démêlé avec la justice...

— Je n'ai pas dit cela, mon enfant... mais non! J'ai affirmé que je n'étais jamais passée en jugement...

— Vous jouez sur les mots!

— C'est pourtant simple : j'ai eu des démêlés avec la justice, mais l'enquête a tourné court : j'ai bénéficié d'un non-lieu. Voilà, c'est tout. Laisse-moi maintenant.

— Mais puisque vous avez bénéficié d'un non-lieu...

Thérèse se leva, prit le chapeau et le manteau de la petite et voulut la pousser vers la porte. Mais la jeune fille, appuyée à la bibliothèque, ne bougeait pas.

— Aie pitié de moi, Marie.

— Vous disiez que vous n'avez tué personne...

— Personne.

— Vous étiez donc innocente?

— Non.

Thérèse se rassit sur la chaise basse, les coudes aux genoux, le corps ramassé.

— Une seule question encore : le nom de la victime; et puis je vous laisserai. Je vous jure que je m'en irai. Un étranger?

Thérèse fit signe que non.

— Quelqu'un de la famille?

Elle inclina la tête.

— Tante Clara? non?... Papa?

Elle avait l'air de jouer aux portraits comme quand elle était petite fille. L'accusée ne leva pas les yeux, ne disjoignit pas ses mains : aucun muscle de sa figure ne bougea, et pourtant Marie était sûre d'avoir deviné. Thérèse demeurait comme pétrifiée, tandis que la jeune fille boutonnait son manteau, sans même songer a poser d'autres questions. Non, elle ne désirait pas en savoir davantage; le reste ne la concernait pas. Elle n'était pas curieuse des autres, fût-ce de sa

propre mère. Il lui suffisait d'avoir compris qu'elle
ne pourrait pas épouser Georges Filhot. Elle
pourrait se donner à lui, peut-être... Encore faudrait-il qu'il y consentît...

— Il y a un parapluie dans ma chambre...
Attends une seconde... Mon cœur me fait mal, ça
va passer. Il faut que je t'accompagne jusqu'à
l'hôtel.

Marie répondit que c'était inutile. Elle demandait seulement une avance d'argent pour payer sa
chambre et son billet. Elle enverrait un mandat de
Saint-Clair.

Évidemment, elle ne voulait plus rien devoir à
sa mère. Mais il était plus de minuit; impossible
de la laisser partir seule, songeait Thérèse, bien
que l'hôtel d'Orsay fût à deux pas. Elle répéta :

— Tu ne peux sortir seule en pleine nuit.

— Je serai partout mieux qu'ici.

— Attends qu'il pleuve moins...

— J'attends que vous me donniez de l'argent.

" J'attends que vous me donniez de l'argent ",
petite phrase connue de Thérèse, petite phrase
familière. Elle en aurait ri, si elle n'eût craint de
réveiller cette douleur dans l'épaule gauche, dans
le bras. Elle dit :

— Aide-moi à me lever.

Mais sans doute parlait-elle à voix trop basse,
car Marie ne parut pas l'avoir entendue. Alors,

Thérèse prit un point d'appui sur la cheminée, se redressa en étouffant une plainte, et pénétra dans la chambre voisine. Marie entendit le bruit de la clef dans la serrure. Elle ne pensait pas à sa mère mais à Georges. Il était à Paris depuis quelques jours déjà; fallait-il repartir sans le voir? Après tout, il n'y avait pas lieu de lui rendre sa parole, puisque sans aucun doute il connaissait tout du drame, depuis longtemps... Non, non, rien n'était perdu. Le plus sage était de rentrer en toute hâte à Saint-Clair, et que Georges ne sût rien de ce voyage sinistre. Georges! Georges! Il occupait Marie tout entière, à cette minute. Ce que pouvait éprouver sa mère, qui était revenue se blottir sur la chaise basse, n'avait aucune réalité. En tout cas, Marie pourrait dire à sa famille, désormais, que pour la fille de Thérèse Desqueyroux, ce mariage avec Georges était inespéré... De ce côté-là, du moins, elle aurait beau jeu. Le péril viendrait du côté Filhot... Mais quoi! Ils se fussent opposés au mariage plus nettement, si au fond ils ne l'avaient désiré. L'essentiel était que Georges ne faiblît pas. Tout dépendait de Georges...

Alors Marie envisageait l'autre côté de la question : non pas une seule fois, mais en toute occasion, Georges n'avait jamais manqué de proclamer qu'il n'avait besoin de personne. C'était une chose affreuse à penser... Pourquoi se fût-elle

leurrée? Tant qu'ils étaient ensemble, ou qu'ils
respiraient dans le même endroit du monde, Marie
éprouvait quelque répit. Mais quelle menace que
cette installation de Georges à Paris! Et voici
qu'elle ne pouvait plus l'y rejoindre... En vérité,
pourquoi? pourquoi avoir cédé à ce premier mouvement d'horreur? N'avait-il pas toujours été
entendu qu'elle devait passer, chaque année, quelques jours auprès de sa mère? Georges aurait
trouvé cela tout naturel; il eût accepté qu'à cause
de lui elle fît durer ce séjour.

Oui, à la réflexion, quelle idiote elle avait été!
Ce qui s'était passé, quinze années plus tôt, ne la
concernait en rien. Comme si une fille de son âge
pouvait être solidaire d'une vieille femme hysté-
rique, qui d'ailleurs devait grossir son aventure à
plaisir... Si on avait classé son affaire, il fallait
croire qu'elle n'était pas aussi coupable qu'elle
voulait s'en persuader... Et enfin, coupable ou
non, pourquoi ce fait divers oublié eût-il retenti
dans la vie d'une jeune fille? Elle s'était rassise sur
le fauteuil en face de la chaise basse, et touchait
doucement la main de Thérèse qui tressaillit, leva
la tête et n'en crut pas ses yeux : Marie lui souriait,
d'un sourire volontaire sans doute, qui faisait un
peu trembler la commissure des lèvres; mais enfin
elle avait désarmé; elle disait :

— Maman, je vous demande pardon.

— Tu es folle! me demander pardon!

— J'ai perdu la tête : j'ai cédé à un premier mouvement... J'ai feint d'éprouver ce qu'il était convenable de ressentir devant une telle révélation... Mais cela ne correspond pas à mes sentiments réels... Me croyez-vous?

— Je crois que tu as pitié de moi, que tu veux me consoler...

— Tenez, maman, je vais vous donner une preuve...

Avait-elle lu *Pierre et Jean* de Maupassant? Marie l'avait loué au " Panbiblion ". Georges trouvait que c'était " coco ", tous les romanciers de cette époque lui paraissaient superficiels... Et il fallait avouer que *Pierre et Jean*... Le drame tourne autour de la découverte que fait un fils de sa naissance illégitime et de la passion qu'a eue sa mère... Eh bien! Marie ne pouvait dire à quel point cela lui avait paru absurde que des enfants s'érigent en juges de ceux qui les ont mis au monde, scrutent leur vie sentimentale, s'indignent ou se désespèrent à propos de ce qu'ils y découvrent...

— Oui, je sais bien que pour vous il s'agit d'autre chose; mais enfin, tout cela se tient! Au contraire, je vais me sentir plus libre avec vous. Tant que je ne savais rien, il était naturel que vous abondiez dans le sens de la famille, que vous fassiez semblant de partager certaines de ses idées, mais maintenant inutile de vouloir me donner le change...

Thérèse l'observait : voilà donc où la petite voulait en venir; elle croyait que sa mère démasquée deviendrait sa complice, — qui sait? qu'elle autoriserait des entrevues avec Georges...

— Écoute, Marie...

Elle cherchait ses mots... Quand donc finirait ce débat exténuant?

— Écoute, Marie : tu as raison de ne pas vouloir me juger; mais c'est déjà me juger que de me croire capable...

— Qu'allez-vous imaginer? Je ne vous demande rien qu'une mère ne puisse faire pour sa fille.

Elle ne songeait plus à affecter le ton de la tendresse. Elle parlait sec. Thérèse l'interrompit :

— Tu sais maintenant pourquoi il m'est interdit de donner à ton père sujet de se plaindre.

— Que vous êtes raisonnable, maman! S'ils vous entendaient, les gens n'en croiraient pas leurs oreilles.

— Marie...

La fureur de la petite soudain éclata.

— Mais enfin, vous avez aimé; vous savez ce que c'est. Moi qui commence à peine, il me semble que je n'ai plus rien à apprendre. Je vous le répète : je suis sûre de Georges, à condition de le

voir tous les jours. S'il s'éloigne, je le perds. Ce
temps de Paris sera une épreuve terrible... C'est
entendu : je renonce à vivre près de vous ; mais il
est normal que je vienne faire ici de brefs séjours...

— Je me conformerai aux instructions de ton
père.

— De quel ton vous dites cela ! Ces propos
convenables et bourgeois dans votre bouche...

Thérèse lui coupa la parole :

— Assez, maintenant. Ne sens-tu pas que je
suis à bout ? Tiens, prends la clef. Choisis des
draps dans l'armoire de la salle à manger, et fais
le lit de la petite chambre du fond. J'irai télégraphier à ton père, dès l'ouverture du bureau de
poste... Non ! plus un mot.

Elle tendit la clef, sans regarder Marie. Quand
elle releva la tête, la jeune fille avait disparu.
Thérèse entendit au fond de l'appartement grincer
la serrure de l'armoire à linge ; puis un remue-
ménage qui dura assez longtemps. Un peu plus
tard, s'étant avancée dans le vestibule, elle prêta
l'oreille et perçut le bruit régulier d'un souffle.
Pouvoir se coucher enfin ! Il ne fallait pas compter
dormir ; mais ce serait bon de s'étendre, de faire la
morte. Or, contre toute prévision, à peine avait-
elle éteint la lampe et fermé les yeux, qu'elle
sombra. Elle coula à pic aux dernières profondeurs du sommeil, et rien de ce qui s'était passé

dans cette soirée ne lui revint en songe; aucune parole prononcée ne jaillit du fond de sa conscience. La nature comblait de repos cette bête recrue. Dans la pièce voisine, un tison rougeoyait encore. Le petit jour éclaira les meubles en désordre, la chaise basse où Thérèse avait souffert, la bouteille de champagne oubliée sur une console.

## III

Elle fut réveillée par le bruit du balai mécanique. Sa première pensée fut : " Trop tard pour prévenir Anna... " Elle avait dû entrer déjà chez la petite. Thérèse s'enveloppa dans une vieille robe de chambre molletonnée et rejoignit la servante qui avait sa figure des mauvais jours.

— Vous êtes entrée dans la chambre?

— Oui! un beau désordre!

— Vous l'avez réveillée?

— Il n'y avait plus personne. On était parti.

Thérèse traversa la salle à manger, ouvrit la porte : la petite chambre était vide en effet; la valise avait disparu.

Peut-être Marie avait-elle pris le train de Bordeaux; mais elle pouvait aussi avoir rejoint le garçon...

— Madame veut que j'apporte le café?

Thérèse fut sensible à un certain accent familier et complice chez Anna. Elle expliqua :

— Ma fille est venue me surprendre hier soir,

après votre départ. Je m'étonne qu'elle soit partie
sans m'embrasser. Elle aura craint de me réveiller...

— Cette visite a guéri Madame? Madame ne se
sent plus souffrante?

Thérèse feignit de ne pas comprendre cette
ironie lourde et dit qu'elle se trouvait encore lasse.
Alors, Anna prenant sur la console la bouteille de
champagne oubliée :

— Voilà qui a dû faire du bien à Madame! (Et
elle lui lança un coup d'œil moqueur.) Quand
j'étais à l'hôpital, on m'en a donné après l'opéra-
tion. Ça m'a remise d'aplomb.

Thérèse haussa les épaules, — trop lasse, trop
détachée pour se donner la peine de convaincre
cette fille. En s'habillant, elle songeait : " Que
m'importe son opinion? " Mais elle ne pouvait
penser qu'à cela, au point d'en oublier Marie. Le
respect qu'elle inspirait à Anna, cette sorte de
déférence craintive et parfois presque tendre,
c'était sa part à elle. La servante avait dû entendre
bien des ragots, pour que sa confiance eût cédé si
vite, au premier soupçon... Cette petite Anna... Il
lui faudrait donc renoncer à cette fidélité dernière...
Toute la vie pour y penser; courir d'abord au
plus urgent : télégraphier à Bernard, *mettre sa responsabilité à l'abri*. Marie avait raison : toutes les for-
mules, tous les maîtres mots de la tribu lui remon-
taient aux lèvres : *mettre sa responsabilité à l'abri*.

En sortant du bureau de poste, rue de Gre-
nelle, Thérèse hésita une seconde : retrouver
l'appartement, le mépris d'Anna? Non, c'était au-
dessus de ses forces. Elle n'avait donné aucun
ordre pour les repas... Tant pis! Anna l'attendrait.
Par ce jour clair et frais de l'arrière-saison, la rue
était accueillante. Thérèse se reposerait aux ter-
rasses des cafés, ferait escale dans un cinéma. Il y
a aussi les bancs des squares quand le soleil ne se
cache pas, les églises où, tapie dans l'ombre, au
milieu de quelques formes prosternées, Thérèse
avait l'impression de voler un secret, de coller
son oreille à une porte invisible. Il lui importait
par-dessus tout de ne pas revenir rue du Bac, de
ne pas sentir la pesée de ces murs, de ces plafonds
que sa souffrance avait comme saturés; — ah!
surtout de ne pas voir ce visage nouveau d'Anna :
cette effronterie, — de ne pas revivre la scène
atroce d'hier soir : " Je me suis accusée; j'ai livré
mon secret, pour rien peut-être, si Marie a rejoint
ce garçon... J'ai perdu pour rien l'affection de ma
fille... Non, ajouta-t-elle à mi-voix (et un groupe
d'écoliers se retourna pour la suivre des yeux),
cela m'est égal, ce matin. Je n'en souffre pas... "
Étrange insensibilité à l'égard de sa fille; l'opinion d'Anna lui importait davantage : " Eh bien!
oui! c'est comme ça... " L'espoir de reconquérir
Marie n'avait pas eu le temps de reprendre racine

dans son cœur; tandis qu'Anna, le respect, l'affection d'Anna, c'était l'eau et le pain de cette
recluse... Ils lui étaient enlevés maintenant... Plus
rien ne lui restait... Elle avait beau répéter : plus
rien! plus rien! sur ce trottoir du boulevard Saint-
Germain, dans la brume ensoleillée d'un matin
d'octobre qui avait l'odeur de l'asphalte et de la
feuille, elle ne se sentait pas souffrir, délivrée,
*opérée* d'elle ne savait quoi, — comme si elle n'eût
plus tourné en rond, comme si elle avançait tout
à coup, comme si elle marchait vers quelque chose.
Durant le combat de cette nuit, avait-elle dit les
mots, avait-elle, à son insu, fait les gestes qui dissi-
paient l'enchantement? Qu'avait-elle fait ou dit
qui fût différent de l'habituel? En tout cas, elle
voyait plus clair; elle marchait dans une certaine
direction.

C'eût été presque le bonheur sans cette gêne,
cette sensation d'étouffement, sans cette présence
de la mort dans sa poitrine... Que le ciel était beau
qui s'écartait autour de Saint-Germain des Prés!
Qu'elle aimait la fatigue de ces jeunes visages qui
riaient en la regardant! Elle ne voulait pas mourir!
Elle n'avait pas envie de mourir!

Assise à la terrasse des *Deux Magots*, elle se
forçait à boire un anis pour être un peu ivre.
" Tuer ces remords dont s'engraisse notre orgueil,
songeait-elle. Tout est bon à l'orgueil. J'étais

déçue, cette nuit, parce que Marie ne poussait pas plus loin son interrogatoire. Je ne l'avais pas étonnée autant que je l'espérais... Il y a eu ça dans ma vie, un crime raté... Il y a d'autres choses dans chacune des autres vies qui grouillent sur cette place, dans ce café. Si les gens arrivaient à se persuader que leur crime, leur vice, leur tare n'offre aucune espèce d'importance... ni d'ailleurs ce qu'ils appellent leur vertu... Même le don de soi : c'est le don de moins que rien... J'ai horreur de cette petite satisfaction qui m'habite parce que cette nuit j'avais l'air de me sacrifier à Marie. Tordre le cou à cette petite satisfaction... Un mépris total et sagace de soi... " Ah! c'était cela vers quoi il fallait avancer, dans cette direction. Elle fit un geste qui renversa et brisa son verre. Un des jeunes gens, assis à la table voisine, se leva, ramassa quelques débris et, le chapeau à la main, les offrit cérémonieusement à Thérèse, tandis que ses camarades pouffaient. Thérèse le fixa de ses yeux clairs, sans rien dire. Il parut décontenancé, déposa devant elle les morceaux de verre et dit d'un ton sérieux :

— Il faut nous pardonner, madame, nous sommes jeunes!

Thérèse hocha la tête et sourit : " Il ne sait pas que je ne sens plus rien... ", songeait-elle.

Elle s'engagea dans la rue de Rennes, suivit la

rue, de la Gaieté jusqu'à l'avenue du Maine, se
perdit dans un quartier misérable, dut s'arrêter un
instant pour reprendre souffle. En face d'elle,
s'ouvrait sur le trottoir une boucherie chevaline.
Une femme sans âge, enceinte, les pieds nus dans
des feutres, surveillait d'un œil aigu le boucher
qui pesait un petit morceau de viande violacée.
Thérèse arrêterait au passage le prochain taxi : elle
donnerait au chauffeur l'adresse d'un bon restaurant.
Il n'y a pas, songeait-elle, de vraie souffrance chez
les êtres à l'abri. Elle avait toujours été à l'abri.

" A la Coupole ! " dit-elle en s'installant dans
l'auto. Elle croyait être ruinée; mais ses ressources
actuelles eussent paru fabuleuses à cette femme
qui emporte maintenant dans un papier jaune ce
petit morceau de viande violacée. Ce n'est pas
souffrir que de pouvoir ruminer sa souffrance,
hors de toute contrainte. Le luxe est collé à nous.
Notre douleur même est un luxe. Pouvoir s'enfermer dans une chambre et pleurer... Cet argent
qui s'est toujours trouvé au bout de nos doigts,
au moment nécessaire... Ainsi rêvait Thérèse et
cependant elle disait au sommelier :

— Vous avez un bon champagne nature? Alors
oui... frappé...

Elle rentra tard. Pendant qu'elle cherchait la
clef dans son sac, elle entendit la voix d'Anna :

— Je crois que voilà Madame... Oui! c'est Madame! Mademoiselle attend Madame depuis six heures. Elle a dîné... mais elle n'a pas beaucoup d'appétit.

Avant tout autre sentiment, Thérèse éprouva cette joie : Anna ne la soupçonnait plus de mensonge; elle ne pouvait plus douter que ce fût Marie qui avait passé la nuit dans l'appartement.

Thérèse entra dans le salon sans quitter son chapeau, ni son manteau fripé. Marie se leva; elle avait perdu son aspect éclatant. Son teint était brouillé, sa bouche comme gonflée. Elle était devenue laide. Elle dit d'abord à sa mère qu'elle avait télégraphié à Saint-Clair et annoncé son arrivée pour le lendemain.

— Tu avais besoin de me revoir?

— Oui, d'abord pour l'argent de mon billet : j'ai été obligée de dépenser aujourd'hui une partie de ce que vous m'aviez donné hier...

Elle se tut, attendant une question; mais Thérèse l'observait sans rien dire. Alors la petite se décida :

— J'ai vu Georges; nous avons déjeuné ensemble...

— Eh bien?

Elle ne put répondre. Des larmes jaillirent. Elle tira de son sac un mouchoir déjà mouillé.

— Mais, mon enfant, je ne vois pas quel fait
nouveau...

— Le fait nouveau, c'est que je lui ai dit que
je savais la vérité au sujet de votre... de votre
histoire. Alors il a pu me parler librement. Ses
parents sont de plus en plus hostiles au mariage
depuis qu'ils ont appris... Oui, ce n'est pas tant
le drame en lui-même que votre existence pendant
plusieurs années... Tant pis, il faut que vous
sachiez! C'est votre faute! c'est à cause de vous!

Thérèse aurait pu croire que cette journée
n'avait été qu'un rêve, qu'elle sortait d'un long
sommeil et se retrouvait sur la même chaise basse,
devant le même juge, furieux, déchaîné. Elle
protesta :

— Mais, Marie, cette " existence ", à supposer
que je l'aie réellement menée, — et je voudrais
savoir ce que précisément on me reproche! —
cette existence était déjà connue des Filhot à une
époque où ils voyaient ce projet de mariage sans
hostilité, si je t'ai bien comprise.

Marie se répandit en explications confuses :
à ce moment-là, le père Filhot devait juger les
Desqueyroux assez riches pour qu'il pût fermer
les yeux sur le reste. Aujourd'hui les deux familles
étaient à demi ruinées; les Filhot avaient besoin
de capitaux.

— Il paraît que son père lui répète sans cesse :

" Epouse qui tu voudras, mais pas une Landaise ! "
Et naturellement nous lui fournissons trop de
prétextes... Georges est bien au-dessus de ces
calculs, mais il n'a pas de situation. Il faut qu'il
achève son droit... Et puis il y a tant de choses
qui l'occupent plus que moi, qui l'intéressent plus
que moi !

Elle pleurait, la face contre le dossier capitonné
du fauteuil. Thérèse lui demanda ce qu'elle
comptait faire. Elle rentrerait à Saint-Clair ; elle
reprendrait cette vie qui déjà lui paraissait intolérable à l'époque où elle espérait...

— Mais maintenant, ce sera la mort.

Elle marmonna, la tête cachée dans son bras
replié, une phrase que Thérèse entendit mal.

— Ose répéter ce que tu viens de dire.

La petite la regarda durement et d'un air de
défi :

— J'ai dit : moi du moins, vous ne m'aurez
pas ratée.

— Toi aussi, Marie, toi aussi : tu fais mouche
à tous les coups.

Elle allait et venait, en frottant les paumes de
ses mains. Elle se rappelait l'entrée joyeuse de
Marie, vingt-quatre heures plus tôt, dans cette
même pièce, et tout ce qui avait soudain fleuri en
elle " pour en arriver là ! " songeait-elle, en jetant
un regard sur cette petite figure enlaidie par

l'insomnie, par le désespoir, par la haine. Cette
haine, oui, elle l'avait méritée. Elle n'aurait pas
l'hypocrisie d'accuser son destin. N'eût-elle autrefois accompli aucun geste irréparable, et même si
elle était restée toute sa vie Mme Bernard Desqueyroux, assise de décembre à juillet derrière la
fenêtre de ce petit salon qui donne sur la grand-
place de Saint-Clair, et le reste de l'année dans la
salle de la maison d'Argelouse, sa fille n'en aurait
pas davantage existé pour elle; Thérèse n'était pas
mère, — inexplicablement dénuée de cet instinct
qui permet aux autres femmes de transférer leur
propre vie dans les êtres qu'elles ont mis au
monde. Oui, si son existence se fût écoulée unie
et sans secousse, Thérèse était sûre qu'elle aurait
tout de même éprouvé, un soir, cette surprise qui
l'avait saisie, la veille, en voyant entrer une femme
qui était sa fille. Après avoir vécu des années sous
le même toit, elle aurait découvert tout à coup
Marie, cette étrangère, cette inconnue, avec ses
goûts, ses antipathies, tout ce qui se serait formé
lentement et à son insu, tout ce qui ne l'intéressait
pas, elle, Thérèse, tout ce qui ne la concernait pas.
" Ça n'aurait rien changé. " Et pourtant, devant
cette ennemie qui n'était là, ce soir, que pour lui
demander des comptes, elle se reconnaissait coupable, n'invoquait aucune circonstance atténuante.
Son crime, qui a précédé tous les autres, fut sans

doute de se lier à un homme, d'enfanter, de se soumettre à la loi commune, alors qu'elle était née hors la loi.

Non! ce n'était pas encore cela! Si elle n'eût pas été une mère, pourquoi cette joie lorsque Marie avait franchi son seuil, hier soir? Une revanche contre la famille? Peut-être... Mais alors pourquoi ce sentiment d'horreur devant la souffrance de cette enfant? Pourquoi ce désir de réparer? Elle aurait donné sa vie... Mais ce serait trop simple s'il n'y avait qu'à donner sa vie... Personne n'a besoin de notre vie; on n'achète rien avec son sang. Ou alors il aurait fallu se tuer assez tôt... et encore! l'ombre de Thérèse se serait tout de même étendue sur ce pauvre destin de Marie. Qui exige cette affreuse communion? " Morte, je ne t'empoisonnerais pas moins... Que te donner? l'argent... "

Tout à coup, Thérèse interrompit son va-et-vient, s'immobilisa, les yeux fixés sur la jeune fille.

— J'ai une idée, Marie.

La petite ne leva même pas la tête. Les coudes aux genoux, elle se balançait de droite à gauche.

— Écoute, il me vient une idée.

Elle parlait vite, il ne fallait pas prendre le temps de réfléchir, mais aller de l'avant, couper les ponts derrière soi. Elle commença :

— Mon enfant, si je t'ai bien comprise...

Au fond, c'était triste à dire, mais tout se ramenait, — comme presque toujours dans la vie, hélas! — à une question d'intérêt. D'une part, le garçon tenait à Marie, mais les circonstances actuelles ne lui permettaient pas d'aller contre la volonté de son père. C'était bien cela, n'est-ce pas? (Marie inclina la tête; maintenant elle suivait sa mère avec une attention profonde.) Et d'autre part, le père Filhot ayant besoin de capitaux, voulait marier son fils hors de la lande. Marie fit signe que c'était bien ainsi qu'il fallait circonscrire le débat.

— Si je renonçais en ta faveur à tout ce que j'ai du côté Larroque...

Oui, sans doute, il s'agissait de landes : près de trois mille hectares qui avaient en partie été rasés par son père, — ce qui expliquait que, pour l'instant, ses revenus fussent tellement réduits; — mais, tout de même, propriété d'avenir, semis de quinze ans en pleine croissance, et qui, malgré la crise, représentait encore plusieurs millions. Si les Filhot avaient un besoin immédiat d'argent, rien ne les empêcherait d'hypothéquer ces propriétés... Thérèse ne pouvait donner de chiffres précis; elle les attendait d'un jour à l'autre, car, manquant d'argent liquide, elle avait chargé le notaire, à l'insu de son mari, de les lui fournir. En tout cas, il y avait des chances pour que les Filhot pussent

trouver là les capitaux dont ils avaient besoin. Or
rien ne prouvait que, dans l'état actuel de leurs
affaires, Georges Filhot découvrît ailleurs chaus-
sure à son pied, " comme dirait ta grand-mère! "

Thérèse avait lancé ce dernier trait d'un ton
presque joyeux, tellement cette offre d'abandonner
tout ce qui lui appartenait en propre lui causait
déjà d'allégement. Mais Marie haussait les
épaules : c'était impossible; sa mère ne pouvait se
dépouiller ainsi; il fallait bien qu'elle gardât de
quoi vivre; elle avait cédé à une impulsion, mais
il lui suffirait d'y réfléchir dix minutes pour
changer d'avis.

Thérèse protesta qu'elle y pensait depuis longtemps, que ce lui serait un bonheur inespéré de
réparer dans une faible mesure le mal qu'elle avait
fait; qu'elle se contenterait d'une rente très légère,
— ce que pouvait exiger une modeste maison de
retraite (elle inventa cette solution à l'instant
même, bien résolue d'ailleurs à mourir plutôt de
froid dans un taudis, que d'habiter dans une de
ces maisons!) Elle ajouta qu'elle vivait de priva-
tions depuis longtemps, que son cœur " flancherait " tôt ou tard (le médecin ne le lui avait pas
caché) et qu'elle ne demandait plus qu'un coin
pour finir.

Marie, plus doucement, jurait qu'elle n'accepte-
rait jamais cela; et d'ailleurs, il faudrait que son

père le voulût aussi, et enfin que les Filhot fussent
séduits par l'arrangement. Mais Thérèse avait
réponse à tout : elle était mariée sous le régime
dotal; son mari n'avait rien à voir dans une décision qui l'étonnerait peut-être, de prime abord,
mais qu'il n'avait aucune raison de désapprouver...
Quant aux Filhot...

— Écoute! veux-tu que je voie ton Georges?
que je lui explique le coup?

— Ah! non! surtout ne paraissez pas... Ne
vous montrez pas... Pardonnez-moi si je vous
blesse, mais il me semble...

Thérèse secoua la tête : non, elle ne la blessait
pas, elle ne sentait plus rien. Mais justement parce
que ce garçon se faisait d'elle une idée sans doute
extravagante, il ne serait pas mauvais qu'il la vît
telle qu'elle était.

— Il me semble que je suis seule capable de le
persuader. Mon projet a le double avantage de
résoudre les deux objections du père Filhot : il lui
fournit les capitaux nécessaires et le débarrasse
(elle hésita une seconde) de Thérèse Desqueyroux.
Tu comprends? Je m'efface, je disparais, on ne
s'apercevra pas de ma mort.

— Non, protesta Marie, il ne s'agit pas de cela!
Ce qui me plairait assez, je l'avoue, si vous aviez
une entrevue avec Georges, c'est que vous me
donneriez votre impression sur ses sentiments...

Oh! bien sûr! il sera sur la défensive, il ne se livrera pas... Mais vous avez de l'expérience... Vous comprenez ce que je veux dire?... Mais, maman, vous êtes malade?

Thérèse ouvrit les yeux, sourit faiblement :

— Ce n'est rien... J'ai marché toute la journée... Ne t'inquiète pas. Il faut que je mange un peu. Anna va me servir. Tu as besoin de repos, toi aussi. Réfléchis à ce que je t'ai dit.

. . . . . . . . . . . . . . . . . . .

— Vous êtes gentille, Anna, de m'aider à me déshabiller... Vous avez mis la boule d'eau chaude... Que je suis bien étendue! Redressez un peu l'oreiller... C'est cela. Maintenant baissez l'abat-jour. Le bouillon est refroidi?

Anna lui tendit la tasse.

— Madame le trouve bon?... Mademoiselle est déjà couchée.

— Surtout ne faites pas de bruit dans votre cuisine. Il est à peine dix heures. Sortez-vous ce soir?

Anna secoua la tête : ce soir, elle travaillerait à son trousseau.

— Alors, voulez-vous... oh! un petit quart d'heure!... porter votre ouvrage ici? Nous ne parlerons pas. Mais je serai contente de vous sentir près de moi. Je me reposerai mieux.

— Si ça peut faire plaisir à Madame...

La lampe faisait au plafond l'auréole des maladies de son enfance : alors, comme ce soir, elle
avait vu, dans la lumière d'une lampe, d'humbles
mains abîmées ourler de la grosse toile. C'était un
secret que connaissait Thérèse : sous la couche
épaisse de nos actes, notre âme d'enfant demeure,
inchangée; l'âme échappe au temps. A quarante-
cinq ans, Thérèse redevient cette petite fille que la
présence de sa bonne rassurait et apaisait, au seuil
des ténèbres.

— Anna, qu'avez-vous cru ce matin?

La servante tressaillit :

— Ce matin?

— Oui, en voyant le lit défait, le désordre, la
bouteille de champagne?

— Mais rien, Madame.

— On vous a dit beaucoup de mal de moi?
Avouez! La concierge... le boucher...

— Oh! pour ce qui est du boucher, non,
Madame! Et puis moi, je sais bien que ce n'est pas
vrai. Comme je dis : si quelqu'un peut parler, c'est
moi, n'est-ce pas?

Thérèse ne répondit rien. Elle se retenait de
respirer, sentant venir les larmes. Il ne fallait pas
qu'Anna s'en aperçût. Mais comment pleurer,
sans suffoquer, — sans ces hoquets, ces halètements (c'est toujours l'enfant qui pleure comme

il sait pleurer, que nous ayons dix ans ou cinquante...).

— Ah! Madame! Madame!

— Ce n'est rien, Anna...

— La demoiselle vous aura causé du chagrin!

— C'est fini, vous voyez? Je vais dormir.
Restez encore quelques minutes.

Elle ferma les yeux, puis, au bout d'un instant,
avertit la servante qu'elle pouvait s'en aller. Anna,
ayant plié son ouvrage, se leva et dit :

— Je souhaite une bonne nuit à Madame.

Thérèse la rappela :

— Voulez-vous m'embrasser?

— Oh! je veux bien, oui...

Anna s'essuya la bouche du revers de la main.

# IV

— Mais bien sûr, ma petite fille : je ne suis pas
si sotte! Il ne croira pas un instant que je viens le
relancer; je n'ouvrirai même pas le débat... Au cas
où tu te marierais, il s'agit simplement qu'il con-
naisse mes dispositions... J'imagine que cette
entrevue durera quelques minutes...

— Tout de même, s'il vous en fournit le prétexte, faites-le parler, tâchez de savoir...

Marie regardait avec étonnement sa mère qui,
debout devant la glace de la cheminée, nouait sur
ses yeux une voilette courte. Elle avait à peine
rougi ses lèvres et ses joues; mais c'était une autre
femme, tout à coup, — comme si cette démarche
qu'elle allait tenter lui eût restitué l'instinct social.
Elle retrouvait un rôle, et tous les gestes oubliés
lui revenaient en mémoire, que fait une femme qui
va rentrer en scène. Marie elle-même avait
recouvré son éclat; dans sa figure que le sommeil
avait rafraîchie, ses yeux brillaient d'espérance.

— Il ne sera peut-être pas chez lui... Mais si!

il déjeune toujours à l'hôtel, puisqu'il paie pen-
sion... S'il n'est pas rentré, attendez-le...

— Mais oui, mon enfant, ne t'inquiète pas.

Le même soleil que la veille, la même brume.
Thérèse irait à pied jusqu'à l'hôtel de Georges
Filhot, boulevard Montparnasse, près de la gare.
Elle ne pensait pas d'avance à ce qu'elle dirait.
Elle pouvait regarder maintenant, au milieu de la
chaussée, ces hommes qui peinaient dans une tranchée ouverte, et cet adolescent qui tirait une char-
rette trop lourde, et même cette femme appuyée
contre un mur et qui ne tendait pas la main.
Thérèse avait résolu de se dépouiller : elle goûtait
déjà la joie du dépouillement. A cette minute.
c'était encore du plaisir. Impossible de se représenter sa vie lorsqu'il ne lui resterait que de quoi
ne pas mourir de faim. Aucune crainte ne la troublait à ce sujet. " Tu verras quand tu y seras... ",
se répétait-elle sans réussir à se faire peur. Peut-
être ne croyait-elle pas qu'elle dût, un jour, tenir
ses promesses. Ce mariage se ferait-il? D'ailleurs,
même si la famille acceptait qu'elle renonçât à ses
biens, Bernard Desqueyroux s'arrangerait pour
qu'elle eût toujours plus que le nécessaire. Ce serait
tout de même une vie diminuée. Elle essayait de se
représenter telle ou telle privation, sans altérer
le plaisir que lui donnait d'avance son sacrifice.

Thérèse avait remonté la rue de Vaugirard jus-

qu'au boulevard Montparnasse, dont elle suivit le
trottoir de gauche vers la gare. Elle examinait les
vieilles façades sales, les enseignes : *Hôtel de
Nantes, Hôtel du Chemin de Fer de l'Ouest*, car Marie
n'avait pu lui indiquer le numéro.

Derrière une porte vitrée, des hommes debout
entouraient la table où était assise la gérante.
Thérèse hésita à entrer, fit quelques pas vers l'escalier. Un garçon, les manches retroussées et d'une
saleté saisissante, posa sur une marche une caisse
remplie de brosses à cirage et tourna sa face blette
vers Thérèse : " M. Filhot? au quatrième,
chambre 83. " Et comme Thérèse le priait d'avertir
M. Filhot qu'une dame désirait lui parler :

— Il doit être chez lui, vous n'avez qu'à
monter.

Elle insista, et lui mit une pièce dans la main. Il
la dévisagea avec un sourire affreux :

— Alors, je ne lui dis pas de nom? Je dis :
" une dame ".

Elle gravissait derrière lui, très lentement, l'escalier raide, de plus en plus obscur. Les odeurs de
sauce, du rez-de-chaussée, cédaient, d'étage en
étage, aux relents d'eau de toilette et d'égout.
Quelqu'un cria :

— Mais bien sûr, qu'elle monte!

Un corps se penchait sur la rampe. Elle entendit
encore : " Que de cérémonies! " Évidemment, ce

grand jeune homme debout sur le palier du quatrième attendait une autre femme... Sa figure se
figea soudain :

— Oui, madame, je suis Georges Filhot.

La porte ouverte de sa chambre éclairait le
palier, mais il se tenait à contre-jour. Elle vit seulement qu'il était de haute taille, un peu courbé, le
front bas, les cheveux noirs en désordre, sans veste.
Il portait un chandail. Le col de sa chemise bleue
était déboutonné. Thérèse assura qu'elle n'avait
que deux mots à lui dire. Il s'agissait d'un rensei-
gnement. Elle pénétra d'autorité dans la chambre
et, se retournant vers le jeune homme qui avait à
dessein laissé la porte ouverte, elle se nomma.

Depuis tant d'années, elle savait ce qui apparaissait sur les figures des gens de Saint-Clair et
d'Argelouse au simple énoncé de son nom : une
curiosité avide. C'était bien ce qu'exprimait ce
visage un peu trop long et osseux, abaissé vers
elle. Elle y lut aussi une inquiétude, une méfiance,
qu'elle voulut dissiper d'abord :

— Rassurez-vous, je ne viens pas me mêler de
ce qui ne me regarde en rien. Je ne fais qu'entrer
et sortir, d'ailleurs, ajouta-t-elle précipitamment.
Mais au cas où vous auriez un jour une décision à
prendre, Marie et vous, je dois vous faire connaître...

Elle parlait posément, avec une aisance retrouvée. Bien que ses phrases fussent claires, elle avait l'impression de ne pas atteindre l'esprit du jeune homme, et, tout en parlant, l'examinait, cherchait à démêler ce qu'il y avait de bizarre en lui. Elle s'aperçut qu'il louchait légèrement; ce défaut prêtait à sa physionomie, assez ordinaire, un charme, et ce regard trouble de l'ébriété. Comme Thérèse disait, sans fausse humilité, mais non plus sans avoir l'air de lui donner une leçon : "Vous me permettez de m'asseoir? " il lui demanda pardon gauchement et poussa vers elle le fauteuil, après l'avoir débarrassé d'un pardessus, d'une chemise sale, et de disques de phonographe dont il était encombré; puis il passa plusieurs fois la main sur ses joues et sur son menton, s'excusant de n'être pas rasé. Il ferma la fenêtre :

— On ne s'entend pas, dit-il.

— Ce doit être terrible d'habiter si près de la gare...

— Oh! je ne crains pas le bruit.

Assis sur le lit, en face de Thérèse, il l'écoutait maintenant avec attention.

— Vous comprenez bien qu'il ne s'agit pas d'une mise en demeure, ni de rien qui puisse y ressembler... Mon mari ne m'a pas fait d'ailleurs connaître ses intentions au sujet de Marie et je vis trop loin de ma fille pour avoir aucune opinion....

Thérèse était elle-même sensible à un certain timbre de sa voix qu'elle n'avait pas toujours et qu'elle ne retrouvait pas à volonté : ce son un peu étouffé, légèrement rauque dans les notes graves. Elle s'entendait dire :

— La donation que je compte faire à Marie aurait pour conséquence immédiate mon total effacement.

Elle souligna d'un geste de la main cette phrase énoncée du ton le plus simple. Elle ne recherchait aucun effet, ni ne se posait en victime. Georges Filhot assura " que ces questions d'intérêt ne comptaient pas à ses yeux ". Il ajouta, à la fois insolent et intimidé :

— Nous ne sommes plus comme nos parents dont toute la vie tournait autour de ces problèmes de dots, d'héritages, de testaments. La crise a flanqué tout ça en l'air : ça ne nous intéresse plus.

— J'en suis assurée. Mais monsieur votre père a le droit de connaître mes intentions; si vous le jugez nécessaire, je vous prie de les lui répéter.

Thérèse se leva; Georges Filhot parut hésiter.

— Marie est auprès de vous?

Il observait Thérèse d'un air incertain. Depuis que la fenêtre était fermée, la chambre sentait le vieux vêtement, le tabac, le savon. Et comme le soleil s'était voilé, soudain elle paraissait sordide.

Thérèse savait que le moment était venu de tenter un effort pour Marie.

— Elle part ce soir. N'avez-vous rien à lui faire dire?

— Madame, je voudrais que vous compreniez...

Sans perdre un instant, Thérèse s'était rassise, et le regardait avec une expression qu'elle savait prendre où se lisait, avec le détachement total de son intérêt propre, une attention passionnée aux choses qui lui étaient confiées. Il disait qu'il avait vingt-deux ans, que le mariage lui faisait peur. S'il avait dû se marier, il n'aurait cherché aucune autre jeune fille que Marie...

— Ah! interrompit Thérèse, m'autorisez-vous à lui répéter ces paroles? Cela ne vous engage à rien...

Il assura qu'il ne s'agissait pas pour lui d'une simple défaite. Il pensait vraiment à Marie avec tendresse. Elle était mêlée à tous ses souvenirs d'enfant, d'adolescent. Il n'eût pas supporté les vacances à Saint-Clair sans elle.

— J'aime et je déteste les landes... Et vous?

— Oh! moi!

Il rougit, se rappelant qui était cette femme, et ce que le seul nom de Saint-Clair devait éveiller dans son esprit. Mais il ne parvenait pas à identifier avec Thérèse Desqueyroux la créature dont le regard pensif l'observait, derrière la voilette courte.

— Je ne dis pas que je ne me marierai pas, reprit-il après un silence. Mais maintenant... impossible! D'abord, il y a l'école, les examens perpétuels...

— Oh! cela ne serait rien, interrompit Thérèse. Au contraire, le mariage éloigne les distractions, les divertissements. Mais je comprends qu'à votre âge, vous hésitiez.

— N'est-ce pas, madame? Je n'ai que vingt-deux ans.

Elle tenait sous son regard ce long et maigre visage où, bien qu'ils fussent accusés, les traits paraissaient inachevés et dont les yeux marron un peu louches ne se fixaient sur rien; seules, les lèvres y montraient un dessin large et ferme.

— Vous feriez mieux de dire : j'ai *déjà* vingt-deux ans.

Avec angoisse il demanda :

— Vous trouvez que je ne suis plus très jeune?

— Oh! vous savez! dès qu'on est embarqué, c'est comme si on était déjà arrivé... Ne trouvez-vous pas?

Oui, il sentait cela très fortement :

— Imaginez-vous que le jour où j'ai eu vingt ans, — vous ne voudrez pas le croire! — eh bien! j'ai pleuré...

— Vous avez eu raison de pleurer, dit simplement Thérèse.

Il l'écoutait : elle disait que la jeunesse n'est le commencement de rien, mais au contraire une agonie...

— Mais, ajouta-t-elle, en approchant de ses yeux un disque pour en déchiffrer le titre, puisque vous aimez la musique... la musique seule a su rendre cela : Schumann, tenez...

— C'est peut-être bien ce que je demande à la musique, en effet. Croyez-vous que beaucoup de jeunes gens éprouvent cette angoisse?

Et comme Thérèse répondait qu'il devait le savoir mieux qu'elle-même :

— J'avais un ami, ajouta-t-il brusquement, qui s'est tué en juillet dernier. On n'a pu découvrir aucune raison, aucune de ces raisons que l'on a coutume d'assigner à un suicide. Je le connaissais bien : pas d'histoire de femme, pas de vice...

— La drogue?

— Non, aucune drogue. Mais peut-être (j'y pensais en vous écoutant) un sentiment qui ressemblait à ce que vous disiez... Il voulait hâter la fin de quelque chose, il voulait en finir une bonne fois. Cette idée ne m'était jamais venue...

Thérèse se leva.

— Marie attend mon retour, et je vous tiens là...

Elle parlait d'une autre voix, d'un ton posé :

— Alors il est bien entendu que c'est le mariage qui pour l'instant vous effraie. Vous me permettez de lui dire? Je peux ajouter que vos sentiments à son égard n'ont pas changé?

Il ne répondit pas à la question.

— C'est drôle, dit-il. J'avais oublié qui vous êtes. Je ne me figurais pas... Marie ne m'avait pas averti... Elle ne sait pas décrire les gens...

Ils gardèrent un instant le silence. Pour le rompre, il demanda s'il pouvait dire adieu à Marie avant son départ. Sans doute prenait-elle le train de dix heures?

— Pourquoi ne viendriez-vous pas partager notre dîner? demanda Thérèse tout à coup, et sans avoir pris le temps de la réflexion. Et puis je vous laisserai l'accompagner à la gare...

Il ne parut pas surpris, et accepta même avec élan. Il fut entendu qu'il arriverait dès six heures. Ce fut alors que le domestique poussa la porte qui était restée entrebâillée.

— Mme Garcin est là... J'ai dit que vous aviez quelqu'un. Elle attend en bas.

Georges Filhot se tourna vers Thérèse, et avec un air de satisfaction :

— Vous savez, Mme Octave Garcin... les Garcin de Laburthe... Est-ce que vous n'êtes pas un peu parents? Ils sont installés à Paris...

— J'ai bien connu sa belle-mère, dit Thérèse.
Mais ne la faites pas trop attendre... Elle a peut-
être l'habitude?

Il protesta d'un air fat :

— Oh! non, madame! Surtout n'allez pas vous
imaginer...

Dans le vestibule, Thérèse, d'un rapide coup
d'œil, dévisagea une grande jeune femme. Il était
près d'une heure. Elle marchait, toute à la joie
dont elle allait combler Marie. Que la petite devait
être impatiente! Il ne faudrait pas lui donner trop
d'espoir... Pourtant, lorsque Thérèse l'aperçut qui
la guettait sur le palier, elle ne put s'empêcher de
lui crier :

— Devine qui dîne avec nous ce soir?

Marie souriait sans oser prononcer le nom.

— Il arrivera dès six heures. Il t'accompagnera
au train...

Marie avait entraîné sa mère dans le salon et,
sans lui donner le temps d'enlever son chapeau,
elle la serrait dans ses bras.

— Vous êtes bonne! et moi si méchante!

Thérèse, brusque, se dégagea :

— Non, non : je ne suis pas bonne.

Elle précédait la petite dans la salle à
manger.

— Vous allez tout me raconter en détail :

ce que vous avez dit, ce qu'il a répondu... Et puis
votre impression...

— Tu t'emballes! tu t'emballes!

Thérèse avait, d'un coup, épuisé sa joie de faire
plaisir. Il ne fallait pas donner à Marie trop d'espérance, se répétait-elle; il ne fallait pas l'exposer à
un dur réveil.

— Oui, il vient dîner ce soir... c'est entendu...
Mais avant tout, il ne veut pas s'engager... Que ce
soit compris une fois pour toutes. Il a beaucoup
insisté sur ce point...

— Ah!

Marie, les yeux fixés sur sa mère, continuait de
verser de l'eau, bien que son verre débordât.

— Tu mouilles la nappe, ma chérie... Et surtout ne va pas te mettre martel en tête. Il a bien
précisé sa pensée : c'est le mariage qui lui fait peur.
Il recule devant le mariage. A vingt-deux ans,
c'est trop naturel! Mais le sentiment qu'il a pour
toi est hors de question.

Elles se turent un instant. Marie essuyait l'eau
répandue. Elle repoussa son assiette.

— Non, je ne puis rien avaler. Alors il vous a
dit que son sentiment pour moi... Il a bien employé
le mot " sentiment "?

Thérèse le croyait. En tout cas, il n'avait pas
parlé d' " amour ". Elle connaissait, chez Marie,
ce tremblement à la commissure des lèvres, et

ajouta très vite que " sentiment " signifie amour.
Marie insistait : il avait dit autre chose durant
cette longue visite?

— Que sais-je? que tu étais mêlée à ses souvenirs de grandes vacances, que tu faisais partie
de sa vie...

— Et puis?

Les coudes sur la table, le menton appuyé sur
ses doigts joints, elle ne perdait pas sa mère des
yeux.

— Mais je ne sais plus, mon enfant.

— Enfin vous êtes restés près d'une demi-
heure ensemble...

— Je crois que nous avons parlé de musique.

Marie eut une expression de souffrance. Elle
murmura :

— Il en est fou.

— Et toi qui la détestes... comme tous les
Desqueyroux... Ce n'est pas de chance.

La jeune fille protesta qu'aujourd'hui il était
bien inutile de savoir jouer du piano.

— Comme dit Georges, aussi bien que j'eusse
joué, mon interprétation n'aurait pas valu les
enregistrements qu'il possède.

Thérèse laissa entendre que c'était tout de même
regrettable.

— Pourquoi? insista Marie, puisqu'il peut
s'offrir toute la musique qui lui plaît!

— Bien sûr, ma chérie... Quoique, pour un musicien, c'est merveilleux d'avoir une femme capable de déchiffrer... Mais il ne s'agit pas de cela. Le plus grave, si tu veux mon avis, c'est ce que cette opposition signifie... ce qui sépare une femme qui déteste la musique et un homme incapable de s'en passer.

Thérèse parlait à mi-voix, avec un air d'inquiétude et de tristesse. Marie dit ardemment :

— J'arriverai à aimer tout ce qu'il aime. Pour cela, je suis tranquille. Ne croyez-vous pas que cela soit possible ? Il suffira qu'il l'exige...

Thérèse secoua la tête :

— Rassure-toi, il ne l'exigera pas... Après tout, si jamais vous devez vivre ensemble, peut-être au contraire sera-t-il heureux d'avoir cette possibilité d'évasion... Oui, tout près de lui, ce pays où tu ne pourras le suivre. Tantôt c'est la femme et tantôt c'est l'homme que la musique délivre de l'autre... Et c'est très bien ainsi. D'ailleurs, même quand ils sont musiciens tous les deux, il arrive que le même enchantement les sépare. La musique n'unit que ceux qui s'aiment du même amour, de la même espèce d'amour, dans le même intervalle de temps.

— Mais nous nous aimons, maman. Lui-même vous a parlé de son amour, enfin de son " sentiment "...

Thérèse s'était levée et gagnait d'un pas rapide le salon, suivie de Marie qui insistait :

— D'ailleurs que de fois m'a-t-il répété qu'il n'avait que moi dans sa vie, que j'étais la seule femme... Pourquoi souriez-vous?

Thérèse serrait les lèvres : " Je ne lui parlerai pas de cette Garcin ", se répétait-elle. Elle répondit qu'elle ne souriait pas, mais qu'au contraire elle faisait la grimace : sa névralgie faciale, tout à coup... Elle allait s'étendre, faire la nuit. Marie s'inquiéterait du dîner de ce soir : qu'elle n'oublie pas le champagne. Il fallait commander une glace. Elle devait connaître les goûts de Georges?

Cela t'occupera, ma chérie.

Étendue sur son lit, Thérèse entendait le bruit de la vaisselle remuée. L'après-midi était terne; les meubles luisaient faiblement. La vie habituelle menait son train d'autos, de camions, de freins grinçants. Les cris aigus d'une cour de récréation témoignaient que le monde continuait de se reproduire. Le rempailleur de chaises faisait sonner sa petite trompette. " Il ne faut pas que Marie espère trop... mais je ne dois pas non plus tuer son bonheur. Ai-je envie de tuer son bonheur? Ce serait pire que ce que j'ai accompli autrefois. J'avais des circonstances atténuantes. Enterrée vive, je soulevais une pierre qui m'étouffait. Mais maintenant, quel est ce fond de mon être sur quoi toujours je retombe? Et pourtant, quelle femme de bonne volonté je suis! (Et elle riait toute seule, de la gorge.) Ma confession de l'autre soir, pour obliger Marie à rejoindre son père... Je m'élevais au-dessus de moi-même, je jouissais de ce dépassement bien que ma souffrance fût réelle... Mais hier surtout, lorsque j'ai décidé l'abandon de ma fortune, ce fut une profonde jouissance. Je planais à mille coudées au-dessus de mon être véritable. Je grimpe, je grimpe, je grimpe... et puis je glisse d'un seul coup et me retrouve dans cette volonté mauvaise et glacée : mon être même, lorsque je ne tente aucun effort, — ce sur quoi je retombe quand je retombe sur moi-même. "

Elle releva son oreiller : " Mais non... je ne suis pas si horrible. J'exige des autres qu'ils soient clairvoyants. Ce qui m'irrite chez Marie, c'est sa puissance d'illusion. J'ai toujours eu cette manie de détacher les bandeaux; je n'avais de cesse que tout le monde autour de moi vît clair. Il faut qu'on me rejoigne dans le désespoir. Je ne comprends pas qu'on ne soit pas désespéré. Est-ce par méchanceté que je voudrais crier à Marie : Tu vois bien qu'il ne t'aime pas, qu'il ne t'aimera jamais, du moins de cette sorte de passion qui te possède toi-même? Je voudrais l'obliger à mesurer la dis-

tance qui sépare une future commère d'Argelouse
d'un garçon plein de curiosité et d'angoisse.
Quelle audace que de prétendre accaparer un
homme et tout son destin! Je le lui dirai. Je
lui dirai que, même si elle l'épouse jamais,
la vie de cet homme s'établira sur un plan où
elle n'aura pas accès; à moins qu'elle ne finisse
par l'abattre, et alors il tombera à ses pieds,
mais mort... Non, reprit-elle à mi-voix, je ne le
lui dirai pas. "

L'après-midi s'écoulait. Les autos se répon-
daient aux croisements des rues. Elle entendait
sonner les tramways du boulevard Saint-Germain;
dans un intervalle de silence, un oiseau piaillait,
puis s'arrêtait. Elle resterait enfermée, elle bouge-
rait à peine, comme si le plus simple geste dût
faire à Marie une blessure. Retenir ses paroles, ne
rien dire que les mots ordinaires. Quand Marie
rentra et vint frapper à la porte de sa mère, Thérèse
cria qu'elle se sentait mieux, qu'elle pourrait se
mettre à table, mais se reposerait jusqu'à ce
moment-là.

Un peu après six heures, elle entendit le timbre
de l'entrée, puis une voix mâle que coupait le rire
énervé de Marie. Parfois ils parlaient tous les deux
ensemble, et baissaient brusquement le ton. " Ils
doivent s'entretenir de moi... ", songeait Thérèse.
Le silence se fit; et elle eût pu croire que le salon

était vide. Ah! il y avait entre eux cette entente :
les corps ont pitié des cœurs séparés, ils franchis-
sent l'abîme; ils se joignent au-dessus de l'abîme
pour le masquer, pour le recouvrir. Ce devait être
lui qui appuyait sa tête contre l'épaule de Marie, et
tous les problèmes étaient résolus, et toutes les
questions posées pouvaient bien demeurer en
suspens.

Ils firent exprès de remuer un fauteuil, de prononcer à voix haute une phrase indifférente, de
tousser. Une odeur de sauce venait de la cuisine.
Thérèse donna de la lumière et, s'étant levée, passa
de la crème sur son visage. Ce garçon ne l'avait
vue qu'avec un chapeau. Elle connaissait une façon
de disposer ses cheveux qui diminuait le front.
Tandis que le fer chauffait, elle revêtit une robe
de marocain noir avec une écharpe bleue qui
cachait le cou. Elle ne voulait pas qu'il vît son
vrai visage, elle ne voulait pas être connue de lui.
Son aspect serait aussi menteur que ses paroles.
Elle ouvrirait la bouche le moins possible, elle
s'effacerait. Peut-être ne serait-ce pas facile : il
existe des êtres avec qui on parle, qu'on le veuille
ou non. Ce matin, leurs propos auraient pu durer
indéfiniment. Mais ce soir, Marie serait là. D'ailleurs, à peine sortis de table, les enfants la laisseraient seule. Le train était à dix heures. L'intermède
serait fini. Tout cela l'avait bien occupée depuis

deux jours : cette confession à sa fille, l'offre de sa fortune, la démarche auprès du garçon. Elle avait joué un beau rôle, s'était complu dans des attitudes. Ce soir, elle allait revenir à sa vérité, rentrer dans son néant.

Dès qu'elle les eut rejoints, elle comprit qu'elle avait interrompu un entretien à son sujet. Elle fut obligée de remplir le silence. A table, les souvenirs d'Argelouse et de Saint-Clair furent d'un grand secours. Thérèse prononçait des noms de personnes dont Georges Filhot connaissait les fils. Ils ne parlaient jamais de la même génération : " C'est vrai qu'elle pourrait avoir un fils de votre âge... Non, le Deguilhem dont je parle devait être l'oncle de celui que vous connaissez... "

— Ce qu'il y a de triste à Argelouse, disait Georges, c'est que les arbres n'y durent guère plus que les hommes : les générations de pins disparaissent aussi vite qu'une génération humaine. Le paysage change sans cesse. Vous ne reconnaîtriez pas l'Argelouse de votre enfance. Les plus vieux arbres de la commune sont abattus. Il y a d'immenses horizons là où naguère la forêt obstruait tout.

— De mon temps, dit Thérèse, les proprié-

taires avaient l'orgueil de leurs pins, et, plutôt
que de les couper, les laissaient pourrir... Mais je
n'y reviendrai jamais, ajouta-t-elle.

Marie et Georges, en silence, la regardaient
boire.

— Si j'y revenais, reprit-elle, je reconnaîtrais
tout de même le sable, l'alios, les ruisseaux rapides
et glacés, l'odeur de résine et de marécage, le piéti-
nement des brebis lorsque le berger crie.

— On dirait que vous avez aimé Argelouse.

— Aimé? non, mais j'y ai tellement souffert
que cela revient au même.

Il ne sut que répondre. A mesure qu'appro-
chait l'heure du départ, Marie ne détournait plus
les yeux de lui, le contemplait avec application, —
comme elle aurait bu en prévision de sa soif. Il
demanda s'il pouvait fumer.

— Vous irez au pays entre Noël et le jour de
l'an? dit Thérèse. Dans moins de trois mois, vous
vous reverrez.

— Trois mois! répéta Marie.

Elle penchait la tête vers la table et ses cheveux
découvraient une oreille qui n'était pas jolie. Elle
tournait et retournait une bague de sa main droite
et souriait à Georges. Thérèse trouvait " qu'il
n'avait pas l'air très net ". La gomina retenait mal
des épis de cheveux rebelles qui se redressaient et
lui donnaient l'aspect d'un jeune corbeau. Parfois

Thérèse surprenait son regard bigle posé sur elle,
mais vite détourné. Il mangeait avec lenteur, bien
que les deux femmes eussent depuis longtemps
leurs assiettes vides. Il ne refusait rien, s'attardait
au fromage, aux fruits, comme s'il n'y avait pas eu
d'entremets, vidait son verre de champagne à
peine rempli.

— C'est l'heure, ma chérie, dit Thérèse.
M. Filhot descendra ta valise.

Au moment du départ, Marie serra sa mère
dans ses bras. Thérèse se dégagea avec un peu
trop de hâte.

— Soyez sages, dit-elle.

Et de nouveau elle fut seule. Il subsistait en
elle une sorte d'agitation, un état de trouble qui
était doux. Elle prit un livre et ne put lire. " Je
n'ai rien cassé, rien abîmé, se disait-elle. Au total,
j'ai aidé Marie; et si le mariage se fait... " Elle
pensa à l'abandon de sa fortune, sans plaisir cette
fois, et même avec un commencement d'inquiétude. La beauté du geste accompli ne lui apportait
plus aucune satisfaction d'amour-propre. A cette
heure, elle se représentait clairement ce qu'un tel
sacrifice introduirait de nouveau dans sa vie. Elle
essayait de se rassurer : " Ils n'y consentiront pas...
ou bien je recevrai une rente suffisante pour vivre,
et cela vaudra mieux que l'incertitude où je suis

aujourd'hui... En somme, cela pourrait devenir une bonne affaire... " Elle rit : " Un mouvement généreux n'est jamais perdu. " Bien qu'elle se fût à peine fardée, elle s'étonna de voir dans la glace son visage coloré. Elle avait bu un peu de champagne : c'était cela sans doute. Lorsque le désespoir qui vous tient desserre son étreinte c'est presque toujours pour une très petite cause d'ordre physique : une nuit de bon sommeil, un verre de vin... Il fait semblant d'être parti et ne s'est éloigné que de quelques pas; nous savons qu'il reviendra; mais enfin il n'est plus là; le monde est bon; peut-être nous reste-t-il à vivre de longues années? Avant la mort, aucune solitude n'est définitive. Nous ne savons pas qui nous rencontrerons ce soir, demain : tant d'êtres nous croisent! A chaque instant, une étincelle peut naître, un courant s'établir. Ainsi, ce soir, Thérèse cédait à une impression de joie, elle ne sentait pas son cœur. " Peut-être ne mourrai-je pas, songeait-elle, peut-être vais-je vivre. "

Elle ouvrit la fenêtre, se pencha sur la rue mal éclairée et encore bruyante. Les rideaux de fer des magasins s'abaissaient avec fracas. Les carrosseries noires glissaient sur la chaussée avec de brefs abois aux croisements. Les freins d'un autobus couvraient tous les autres bruits, mais non celui qu'elle devina, plutôt qu'elle ne l'entendit, de la

porte du palier; puis la voix d'Anna et celle d'un
homme se répondirent dans le vestibule. Thérèse
ferma la fenêtre et vit Georges Filhot, tête nue. Il
avait gardé son pardessus. A ce moment, elle
sentit son cœur. Ses mâchoires contractées, le
front dur que lui donnait la souffrance persuadè-
rent le jeune homme qu'elle était furieuse de le
revoir.

— Vous avez oublié quelque chose?

Il balbutia qu'il voulait seulement donner des
nouvelles de Marie : tout s'était bien passé, il lui
avait trouvé un coin. Thérèse s'était assise, le buste
penché en avant, pour apprivoiser le mal, immobile comme ces insectes qui, attaqués, se donnent
l'aspect de la mort. Elle le pria, dans un souffle, de
prendre l'autre fauteuil. Alors il comprit qu'elle
n'était peut-être pas fâchée, qu'elle souffrait.

— Un simple malaise... Cela va déjà mieux.
Je vous demande quelques secondes...

Ils n'entendirent plus que la pendule, un appa-
reil de T. S. F. dans un appartement proche. Il
s'efforçait de poser les yeux ailleurs que sur ce
visage mort. Mais sans cesse il les ramenait sur le
front vaste, presque sans rides; il ne pouvait pas
ne pas regarder ces paupières baissées, et les cernes
autour de l'œil, et cette bouche plus que fermée,
qu'on eût dit serrée avec effort. Et soudain il
s'aperçut qu'elle aussi l'observait entre les cils. Il

rougit et détourna un peu la tête. Elle se redressa :

— Cela va mieux. Parlez-moi de Marie. Est-elle partie contente?

Il le croyait.

— Que vous a-t-elle dit?

Il n'osait répondre : "Nous avons surtout parlé de vous... " Pourtant, n'était-ce pas l'occasion d'obtenir d'elle les éclaircissements sur le point qui le préoccupait? Comme il l'avait répété à Marie, ce n'était rien que sa mère eût un jour éprouvé le désir de se rendre libre, coûte que coûte... Ce qui lui paraissait incroyable, c'était la version des gens de Saint-Clair. Comment imaginer que la femme dont il voyait, en ce moment, se tourner vers lui la face douloureuse, avait pu pendant des jours et des jours verser le poison par petites doses, entretenir une agonie interminable? Marie ne croyait pas non plus que ce fût possible. A dire vrai, en diminuant la responsabilité de sa mère, elle servait l'intérêt de son amour : cela seul importait à ses yeux. Mais elle n'avait su que répondre à Georges, stupéfait qu'elle n'eût pas poussé plus loin son interrogatoire : " Votre mère acceptait que vous lui posiez des questions, et vous n'en avez pas profité! Sans doute était-ce pénible, mais rien de pire que le doute. A votre place, je ne vivrais plus... " Elle avait répondu qu'il connaissait Thérèse Desqueyroux maintenant, qu'il pour-

rait poursuivre lui-même son enquête. Il avait
protesté : "Oh! moi, cela ne m'intéresse qu'à
cause de vous." Elle avait reçu cette parole avec
une joie profonde et devait la ressasser, à cette
même heure, dans le train. Elle ne savait pas que
le garçon avait menti : le mystère de Thérèse le
passionnait, sans que Marie y fût pour rien. Ce
n'était pas à Marie qu'il avait pensé en remontant
cet escalier, en sonnant à cette porte. Mais quand
Thérèse insista :   Vous ne voulez pas me dire de
quoi vous avez parlé? " il se déroba. "De quoi
parler avec une jeune fille? " répétait-il dédai-
gneusement. Thérèse sourit. L'essentiel, disait-
elle, c'était que sa petite Marie fût partie contente.
Il émit la crainte de lui avoir donné trop d'espoir :
il avait tellement peur qu'un jour el e fût déçue...
Il observa Thérèse, et vit qu'elle ne manifestait
aucune irritation.

— Marie ne compte pas sur une décision pro-
chaine... C'est beaucoup que de gagner du temps.
Quoi que vous décidiez, vous aurez tout le loisir
de l'y préparer. Cet été, elle vous verra tous les
jours, librement. Elle courra sa chance.

Il se réjouit de ce que Thérèse s'exprimait d'un
ton aussi détaché : en vérité, ce n'était pas une
mère comme une autre. Elle comprenait tout.

— Et au fond je suis sûre, ajouta-t-elle, que les
chances de Marie ne sont pas petites.

Il sourit, ne sachant que répondre, et souleva un peu une épaule.

— L'été à Saint-Clair, insista Thérèse, comment tuez-vous les journées? De mon temps...

— La jeunesse d'aujourd'hui a une ressource : le moulin... Nous nous baignons tous les jours, et, au sortir de l'eau, le soleil!

Elle s'écria : " Quoi? Même à Saint-Clair! " Il crut qu'elle était inquiète et scandalisée. Il protesta :

— Nous nous tenons très bien, vous savez!

Elle allait l'interrompre : " Que voulez-vous que cela me fasse! " et se souvint qu'il s'agissait de sa fille. Il la regardait avec un sourire un peu niais, s'attardait avec complaisance à décrire ces baignades qui rappellent d'assez loin la vie au bord de la mer... L'eau glacée et dormante de l'écluse y dissimulait moins les corps; et lorsqu'ils s'étendaient dans l'herbe sèche ou sur le talus, l'ombre des feuilles tigrait la chair, la rendait plus vivante que sur les plages sans arbres.

— Marie et moi, nous nous entendons merveilleusement. Nous pouvons rester des heures, côte à côte, sans parler. Parfois nous allons plonger, mais impossible de nager longtemps, l'eau est trop froide et c'est plein d'herbes. Alors nous revenons nous étendre. Les grillons et les sauterelles se taisent autour de nous, puis recommencent, tout près de notre oreille, comme si nous étions morts. Nos yeux s'accoutument à ne plus voir que le monde qui vit dans les cimes des pins : écureuils, geais...

— C'est vrai que Marie a encore la nuque et les bras brûlés...

— Elle n'est jamais si belle qu'à la fin des vacances.

— Au fond, vous l'aimez.

Il répondit : " Je ne sais pas... " Il semblait attendri et souriait dans le vague. Il se leva, alluma une cigarette et comme Thérèse disait : " Il faudrait... " puis s'interrompait, il s'accota à la bibliothèque :

— Quoi? Que faudrait-il?

— Que la vie avec la créature que nous avons choisie ou qui nous a choisi, fût une longue sieste au soleil, un repos sans fin, une quiétude animale. Oui... avoir cette certitude qu'un être est là, à portée de notre main, accordé, soumis, comblé et que, pas plus que nous-même, il ne désire d'être ailleurs. Il faudrait à l'entour une telle torpeur que la pensée fût engourdie afin de rendre impossible, même en esprit, toute trahison...

— C'est vrai que, dès qu'il commence à faire frais, nous songeons à autre chose, nous désirons nous en aller. Marie me demande tout à coup : " A quoi pensez-vous? "

— Et vous répondez : " A rien, ma chérie. "

Parce que ce serait trop compliqué que de l'introduire dans le monde où vous êtes entré et où une
femme n'a pas accès...

— C'est ce que me dit toujours Mondoux.

Thérèse demanda : " Qui est Mondoux? "
Mais elle savait d'avance qui était Mondoux : le
type prodigieux que connaissent toujours les garçons de cet âge, l'ami qui a tout lu, qui peut
déchiffrer n'importe quelle partition, qui a une
mystique; la merveille qu'ils sont impatients de
vous présenter et que d'avance la femme déteste.
" Vous verrez, il ne se livre pas tout de suite, mais
s'il est bien disposé... " Presque toujours, il s'agit
d'un personnage remarquable par ses boutons et
par sa pomme d'Adam, fou de timidité, d'orgueil
et de jalousie. L'influence de Mondoux est toujours redoutable... " Mais de quoi vais-je m'inquiéter? songe Thérèse. Marie n'a rien à craindre
de Mondoux. "

— Il faudra que je vous le fasse connaître, il
vous intéressera. Mais je suis indiscret? Onze
heures, déjà...

— Oh! le sommeil et moi...

Pourtant elle se leva, sans rien dire de plus pour
le retenir. Il demanda s'il pourrait la revoir. Marie
lui avait assuré qu'il ne serait pas indiscret. Il
épiait un assentiment. Thérèse, sans répondre,
soupira : " Pauvre Marie! "

— Pourquoi : pauvre Marie?

— Parce qu'aux vacances du jour de l'an, il n'y aura pas de baignades ni de siestes au moulin...

— On se voit tout de même. Elle ne vient guère chez mes parents ni moi chez les siens; mais elle monte très bien à cheval, vous savez? Nous sortons par tous les temps. Presque toujours nous nous rencontrons à Silhet, la métairie abandonnée...

— Elle était déjà abandonnée dans ma jeunesse...

Thérèse revit en esprit, sur la muraille, ce dessin obscène tracé avec un charbon et, dans le coin, ce tas de brandes où, parfois, un berger passait la nuit.

— Nous attachons nos chevaux dans le parc des moutons. Nous faisons un grand feu...

Ils demeurèrent un instant sans rien dire. Thérèse reprit :

— Peut-être mon mari acceptera-t-il plus volontiers maintenant de vous recevoir. Ce serait plus confortable. Et puis, vous pourriez faire de la musique...

Il la regarda en riant :

— Ah! faut-il que vous connaissiez peu Marie! Mais elle déteste la musique, voyons!

Thérèse haussa les épaules, sourit, d'un air de dire : " Où avais-je la tête? "

— D'ailleurs, remarqua-t-elle, cela a si peu d'importance, aujourd'hui, avec le phono!

Il fit une légère moue, comme s'il se fût défendu de protester. Et tout à coup, Thérèse ressentit une profonde jouissance dont elle eut honte.

— Vous lui écrirez? demanda-t-elle avec une brusque ardeur.

Et comme il promettait de le faire bientôt :

— Non, tout de suite! insista Thérèse. Songez à ce que seront pour elle ces premiers jours.

— J'ai horreur d'écrire, avoua-t-il. Sauf naturellement à Mondoux. Croyez-vous que j'ai extrait des pensées de sa correspondance? Le recueil est divisé en trois parties : *politique, philosophie, religion*. Je vous le prêterai; vous verrez, c'est formidable... Vous riez? Vous vous moquez de moi?

Elle secoua la tête en songeant : " Quel âge stupide! Que la bêtise, à vingt ans, est virulente! "

Cependant Georges promettait d'écrire à Marie, et demandait la permission de revenir.

— Pour quoi faire? demanda Thérèse.

Et comme le garçon perdait contenance, elle ajouta vivement :

— Pour me parler de Marie? Tant que vous voudrez... Mais je ne reste guère chez moi.

Il la remercia, l'air triste et préoccupé, et l'avertit " à tout hasard " qu'il rejoignait Mondoux aux *Deux Magots* presque tous les jours, à midi. Elle le suivit dans le vestibule. La main du jeune homme s'attarda sur le loquet. Il se retourna.

— Je voudrais tant savoir..., commença-t-il d'une voix hésitante. Non, reprit-il, plus tard...

Il s'y prit à deux fois pour fermer la porte. Thérèse écouta décroître ses pas dans l'escalier, revint au salon où, dans une brume de tabac, régnait un désordre vivant. Les fauteuils capitonnés, la chauffeuse avaient changé de place. Ces épaves d'Argelouse avaient retrouvé la vie. Thérèse devinait ce que le garçon voulait savoir, mais il ne saurait jamais que ce qu'elle voudrait qu'il sût. Elle se sentait miraculeusement maîtresse de ses actes passés : " C'est une question d'éclairage ", songeait-elle. S'étant approchée de la glace, elle scruta sa face inconnue, — non le visage de la vraie Thérèse, mais celui qu'avaient réfléchi les yeux de cet enfant. Il lui aurait suffi de rejeter d'un seul geste ses cheveux, de découvrir son front, ses tempes ; oui, elle aurait pu, des deux mains, effacer en une seconde cette image menteuse d'elle-même.. Mais elle passa sur ses lèvres le bâton de rouge, puis se poudra. Comme si elle eût répondu à un adversaire invisible, elle dit à haute voix : " Mais puisqu'il va lui écrire! J'ai obtenu de lui la promesse de cette lettre. Marie sera contente... " Elle ne pouvait pas ne pas avoir conscience de son mensonge : elle s'y installait pourtant, s'y reposait. Elle eut soif et alla à la cuisine.

— Vous n'êtes pas encore montée, ma petite?

Dans la pièce nette, où étincelaient les casse-
roles de cuivre qui ne servaient jamais, Anna était
assise, les coudes sur la table, la tête entre les deux
poings; les cheveux gras, mal coupés et trop longs,
recouvraient à demi une figure gonflée de larmes.
Qu'y avait-il? Elle était plaquée peut-être? ou
malade? ou enceinte? C'était la minute que naguère
Thérèse avait tant désirée : la souffrance aurait
fait une brèche dans le mur qui la séparait d'Anna,
par où pénétrer dans ce pauvre destin... Mais ce
soir, Thérèse détourne les yeux, prend un verre,
le vide d'un trait, quitte la cuisine sans le moindre
signe d'amitié.

En traversant la salle à manger, elle dut s'arrêter :
son cœur, tout à coup, qu'elle avait oublié... A
pas très lents, s'appuyant aux chaises, à la muraille,
elle gagna le salon, s'assit, le buste penché en
avant. Elle avait oublié cette main terrible crispée
sur son épaule gauche, cette douleur qui de là
irradiait, envahissait la poitrine. Dans le silence de
la nuit, elle écoutait son propre halètement. Ses
yeux erraient sur les murs de sa prison où la vie
ce soir était rentrée et persistait dans le désordre
des meubles, dans l'odeur de tabac. La vie était
revenue, Thérèse ne voulait pas mourir. Le médecin lui avait assuré qu'en prenant des précau-
tions, en évitant toute imprudence... Elle se répé-

tait les paroles du spécialiste, lors de la dernière
consultation; la radiographie ne lui avait pas
semblé très claire; on n'en pouvait rien conclure
de précis. C'était grave sans doute, mais enfin,
avait-il ajouté, " avec le cœur on ne sait jamais ".
Après tout, n'avait-elle pas la vie la mieux faite
pour tenir le coup? Seulement, à partir d'aujour-
d'hui, plus d'imprudences. Le mal se calmait un
peu. Elle ne s'étendrait pas, demeurerait, toute la
nuit, assise. Marie roulait, à cette heure. Elle
devait avoir dépassé Orléans. Elle se croyait
aimée, peut-être... Eh bien! tant mieux qu'elle le
crût! Thérèse ferait tout pour que cette illusion
devînt réalité. Pourquoi plaindre Marie? Elle avait
dix-sept ans, crevait de santé. Dix-sept ans! cette
vie devant elle, à perte de vue... " Et moi, à la
porte de l'abattoir, déjà! "

Des horloges sonnaient une heure. Le mal s'en-
gourdissait mais demeurait présent. La main
n'avait fait que desserrer son étreinte. Thérèse ne
pensait plus à Marie, ni à Georges, ni à personne;
toute ramassée sur soi, attentive à ce désordre
profond au centre même de son être, comme si
cette fixité du regard intérieur eût suffi à tenir en
respect l'organe dément, à apaiser ces battements
fous, à enrayer cette course désordonnée, à l'arrêter
au bord du vide.

# VI

Huit Jours après cette visite de Georges, un matin, vers onze heures, Thérèse avançait à pas mesurés, attentive aux écriteaux des appartements à louer. Aussi doux que fût l'escalier de sa vieille maison, il exigeait d'elle un effort dangereux. Le spécialiste, qui l'avait revue, était d'avis qu'elle ne devait plus se passer d'ascenseur, à moins qu'elle ne découvrît un rez-de-chaussée habitable. Mais quel progrès déjà que d'arrêter son esprit à une préoccupation de cette sorte! Une semaine plus tôt, l'idée de déménager ne lui serait même pas venue.

Le silence de Georges ne la troublait guère. Si on l'avait avertie que chaque soir il lui adressait une longue lettre, déchirée chaque matin au réveil, Thérèse sans doute aurait répondu : " Je le savais... "

Devant la terrasse des *Deux Magots*, elle acheta un journal. Et comme elle se retournait, elle vit un visage qui lui souriait, une main agitée en signe d'appel. Il ne fallait pas que son cœur battît, il ne fallait pas qu'elle s'émût ainsi de la moindre rencontre, surtout d'une rencontre prévue : car elle savait bien pourquoi, au lieu de descendre vers la Seine, elle avait tourné à droite, du côté de Saint-Germain des Prés. Elle avança à travers les tables. Georges levé, avec son air légèrement hagard, lui présenta un autre garçon qu'elle n'avait pas vu : " C'est Mondoux... René Mondoux. " Elle vit d'abord qu'il ne s'agissait pas du personnage ridicule qu'elle avait imaginé : des épaules frêles, le dos rond, mais dans un visage d'enfant des yeux d'une limpidité presque insoutenable et qui valaient bien qu'on lui pardonnât son habit de confection, ses grosses bottines lacées dont les crochets montraient la couleur du cuivre. Et d'ailleurs, à tout prix, il fallait lui plaire.

De sa serviette bourrée de livres, il avait tiré une revue dont le titre donna à Thérèse des idées : elle le classa d'emblée parmi ce qu'elle dénommait les " belles âmes ". Elle croyait bien connaître cette espèce-là qu'il lui était souvent arrivé d'attirer, grâce à son aspect de naufragée. Mais Mondoux ne répondit à ses avances que par des propos évasifs, du ton d'un étudiant grossier qui s'abstient de discuter avec les femmes. Thérèse, avec une profonde maladresse, battait les buissons, perdait tout naturel; et tandis que Georges mani-

festait cette sorte d'exaltation craintive qu'éveille
en nous la rencontre de deux êtres également
admirés, mais dont nous ne savons pas si la con-
jonction sera heureuse, elle resservait des couplets
où elle avait été brillante autrefois, mais que Mondoux laissait retomber sans vergogne.

Persuadée d'avoir affaire à un garçon religieux,
elle touchait au problème du mal et de la prédesti-
nation où la femme la plus ignorante, si elle est
habile, embarrasserait jusqu'aux élus. Elle s'interrompait pour lui demander : " Je ne vous blesse
pas au moins? " lorsqu'un mot de Georges lui
laissa entendre qu'elle faisait fausse route et que
les idées de Mondoux étaient à l'opposé de ce
qu'elle avait cru. Aussitôt elle battit en retraite,
prit le ton de l'humilité et d'instinct chercha à
l'amadouer par des moyens plus sûrs : un certain
regard attentif et grave, une certaine voix. Comme
il n'en paraissait nullement ému, elle força jusqu'au
ridicule ses pauvres effets et tout à coup s'aperçut
que Georges Filhot l'observait. Alors l'orage de
joie creva qui s'accumulait dans son être depuis
trois jours.

O merveille! il souffrait. Le masque de la jalousie
était familier à Thérèse : elle l'aurait reconnu d'un
seul regard. Depuis combien d'années n'avait-elle
tenu cette unique preuve que nous sommes aimés :
une bouche crispée, des yeux pleins d'angoisse et

de reproche? Il lui fallait remonter le cours du
temps, jusqu'aux premiers mois de son arrivée à
Paris. Stupeur que cette joie lui pût être accordée
une fois encore! Une telle découverte lui donnait
un coup au cœur : elle recevait cette joie en plein
cœur. Sa face blême demeurait levée vers Mondoux, soit qu'elle voulût accroître encore la souffrance de Georges, soit qu'elle espérât retrouver
le souffle, enrayer la douleur qui commençait
d'irradier à gauche. Thérèse avait l'aspect d'une
créature qui écoute. C'était bien un bruit de pas
qu'elle guettait, qu'elle entendait venir du profond de son être : la mort, ce qui par essence n'est
pas, n'en habitait pas moins ce corps misérable,
croissant et se fortifiant du bonheur inespéré qui
venait de surgir; comme si, après tant d'années,
l'amour ne fût rendu à cette femme que pour précipiter la dissolution de sa chair. Non, son cœur
surmené ne pourrait supporter un tel enivrement;
il éclaterait sous la pression de cette joie monstrueuse. Elle se tourna vers Georges :

— Voulez-vous arrêter un taxi? je ne me sens
pas bien. Non, ne m'accompagnez pas.

— Je pourrai monter, ce soir?

— Non, pas ce soir, demain.

— Je viendrai prendre de vos nouvelles...

Elle le lui défendit; elle ne voulait pas qu'il la
vît dans cette dégradation de la douleur phy-

sique... Sa présence d'ailleurs ne pourrait que
l'accroître. Il fallait que Thérèse eût le temps de se
reprendre; c'était la surprise qui avait eu raison
d'elle. Demain soir, elle serait prête; elle tiendrait
son cœur bien en main. Dans le taxi, elle se répétait : " Ne pas mourir... " Mais que l'enfant fût
capable de jalousie, était-ce le signe irrécusable
qu'elle était aimée de lui? Et si elle l'était en effet,
comment ne pas redouter un de ces mirages que
crée l'imagination passionnée des jeunes gens? Il
ne souffrirait pas longtemps à cause d'une femme
usée, à demi morte. Et puis, à cette minute, cher-
chant à reprendre souffle, elle connaissait le prix
que lui coûterait le moindre battement précipité
de son cœur...

Elle demeura un instant immobile sur le palier,
chercha sa clef. Il aurait pu venir ce soir. Il viendrait demain : mais demain, serait-elle vivante?
Il ne dépendait plus d'elle de ne plus avoir sans
cesse devant les yeux cette figure. Demain soir il
accrocherait son pardessus à cette patère. Il y avait
une lettre sur la table de l'entrée. Thérèse reconnut
l'écriture de Marie. Depuis deux heures, elle
n'avait pas pensé une seule fois à Marie.

Elle considérait d'un œil hostile cette écriture
bête. La forme allongée de l'enveloppe, aussi, était
bête, et la couleur améthyste du papier, et jusqu'à
l'encre rouge : oui, il n'était rien là qui ne fût signe

de niaiserie. Thérèse eut honte de ce qu'elle éprouvait, tandis qu'Anna lui enlevait son chapeau, ses chaussures, afin de lui éviter tout mouvement. Elle ne déjeunerait pas, elle resterait immobile sur la chauffeuse jusqu'à la fin de son angoisse. Le buste penché, elle demeura seule, tenant l'enveloppe à deux mains. Le bonheur de Marie... Marie sa fille... Mais que signifient les liens du sang? Elles étaient deux femmes qui ne se connaissaient pas. A chacune de courir sa chance. Marie avait dix-sept ans, elle était belle. Ils se baignaient ensemble, au moulin; ils s'étendaient côte à côte sur la prairie brûlée, dans la vibration des sauterelles. Et elle, Thérèse, à demi détruite déjà... Marie avait-elle eu pitié de sa mère durant cette soirée où elle lui avait arraché un aveu? Et le pire peut-être avait été son incuriosité  elle n'avait exigé aucun détail, elle ne s'était informée d'aucune circonstance... Georges, lui, serait plus insistant : Thérèse savait bien ce que signifiait cette question interrompue, au moment du départ, lorsqu'il avait soupiré : " Je voudrais tant savoir... " C'était pour savoir qu'il voulait revenir... Dieu! sa visite tournerait-elle à l'interrogatoire? Pour la troisième fois, Thérèse allait-elle passer en jugement?

Elle avait cru souffrir au long de cette nuit où sa fille lui arrachait des bribes d'aveu; elle avait eu l'illusion de se sacrifier pour que Marie revînt auprès de son père. En vérité, cet amour de son enfant, elle ne l'avait jamais possédé : " J'ai renoncé à ce que je ne détenais pas; j'ai fait le sacrifice de ce qui ne m'avait jamais appartenu... " Tandis que si, demain soir, il lui fallait subir de Georges un nouvel assaut... Ah! cette fois, eh bien! elle mentirait... Ce ne serait d'ailleurs pas mentir : c'était une autre qu'elle-même, c'était une Thérèse inconnue qui, quinze années plus tôt, pendant des semaines, poursuivant un dessein abominable, avait chaque jour retrouvé la force... L'assassinat au jour le jour... Quel rapport entre la démente de ces lointaines années qui faisait exprès de ne pas compter les gouttes d'arsenic dans le verre de son mari, et la Thérèse de ce soir? Quelle ressemblance?

O douleur d'être clairvoyante! Infirmité de ne pouvoir se duper soi-même! Évidence, certitude qu'elle n'accomplissait rien d'autre, tous ces jours-ci, que d'empoisonner le bonheur de Marie! Et cette fois, quelle excuse invoquer? Que lui avait fait cette enfant, sinon d'avoir cherché auprès d'elle un refuge et de s'être blottie dans ses bras?

Piaillements dans les lierres des jardins, cris d'une récréation de quatre heures, trot des chevaux du *Bon Marché*, trompes et freins des autos

qui ralentissent, tissu des bruits familiers, mourir
ce serait ne plus entendre cette rumeur; et vivre,
c'était de demeurer assise, attentive à ce vacarme
monotone. Se sacrifier d'un coup, d'un coup se
racheter, s'exécuter, *écraser la chenille*... Thérèse
déchirait l'enveloppe, dans la pensée d'obéir aux
suggestions de cette lettre encore inconnue. Si ce
pli contenait un ordre, elle était résolue à s'y soumettre, quel qu'il fût.

"Papa et bonne-maman m'ont reçue mieux
que je ne m'y attendais : ils s'étaient entendus pour
ne pas faire d'histoire, au sujet de ma fugue, pour
ne pas m'exaspérer. Je leur ai tout de suite parlé
de vous et des dispositions que vous projetiez de
prendre si je me mariais. Bien qu'on ne l'ait guère
manifesté, j'ai eu l'impression qu'elles produi-
saient le meilleur effet. Papa m'a dit : " Il est évi-
dent que cela arrangerait bien des choses... " et
bonne-maman qui tout de suite met dans le mille
pour m'être désagréable : " Avec une pareille dot,
ce serait tout de même dommage d'épouser le
petit-fils d'un métayer. "

"Je n'ai rien répondu. J'avais une bonne
raison pour être patiente : le courrier venait de
m'apporter une lettre de Georges que je n'attendais pas si tôt, car il déteste d'écrire. J'ai bien
compris d'ailleurs à qui je devais cette lettre...
Chère maman, c'est maintenant que j'arrive à

l'essentiel, mais je ne sais pas comment exprimer ce que j'ai à vous dire... Je suis sotte, et je me demande même comment vous pouvez avoir une fille aussi sotte. Il est vrai que je suis une Desquey-roux! Eh bien! voilà : je voudrais vous demander pardon sans que cela eût l'air apprêté, faux... J'ai beaucoup réfléchi à tout ce qui vient de se passer entre nous, et maintenant je sais que vous êtes bonne, — d'une bonté que je n'avais jamais rencontrée jusqu'à ce jour. Ce qui s'est passé autrefois, nous sommes d'accord avec Georges pour croire qu'on l'a mal interprété. Il y a là un problème dont Georges assure que vous possédez seule les éléments (ce sont les propres termes qu'il emploie dans sa lettre). Comment pourrais-je douter de vous en voyant votre conduite envers moi qui vous ai montré si peu de compréhension et de pitié? Je sais maintenant grâce à vous ce que signifie : rendre le bien pour le mal.

"Mais surtout, je vous admire. Je vous admirerais même si Georges ne vous admirait pas. Il est certain que vous lui avez produit un effet extraordinaire; et il s'y connaît en intelligence! Mon bonheur dépend de vous : c'est d'une telle évidence que vous devez croire que je vous écris toutes ces choses par intérêt. Et pourtant je suis sincère, si vous saviez! Après avoir vécu auprès de vous, tout ici, choses et gens, me paraît encore plus fade. J'imagine ce que pourrait être ma vie, entre vous et Georges.

" Si la famille vous écrit au sujet des disposit'ons que vous avez réso!u de prendre en ma faveur, dites bien qu'elles dépendront du mariage que je ferai. Bonne-maman surtout serait fort capable de manigancer une union selon ses goûts : elle se résignait aux Filhot, qu'elle méprise, à cause de notre situation diminuée ; mais cet accroissement de ma dot va réveiller son ambition. Qu'il soit bien entendu que vous consentez à ce sacrifice pour que je puisse épouser le garçon qui me plaît... "

Thérèse revoyait Marie telle que la jeune fille lui était apparue sur le palier, le corps infléchi par le poids d'une valise. Sa fille, son enfant lui écrivait cette lettre pleine de tendresse ; elle rêvait d'une vie commune à trois ; il ne s'agissait pas d'un mirage : ce bonheur était possible ; c'était ce bonheur et non un autre qu'il fallait atteindre, le seul qui fût à portée de sa main. A quelle sombre folie, tous ces jours-ci, venait-elle encore de céder ! Elle avait toujours cru que les vices et les crimes naissent de cette puissance désordonnée pour imaginer l'impossible, pour créer une chimère qu'il nous faut ensuite embrasser à tout prix. Mais elle allait entrer " dans a vérité de la vie ". C'était une expression de Bernard Desqueyroux. Au début

de leur existence commune, il lui répétait souvent :
" Tu n'es pas dans la vérité de la vie. " Elle trou-
verait la force de sacrifier l'autre chose... Quelle
autre chose? Cela n'avait aucune consistance. A
cette irritation de Georges parce qu'elle feignait
d'admirer Mondoux, elle avait prêté un sens
absurde. D'ailleurs, l'aimait-elle seulement? Elle
ne s'était même pas posé la question : " En vérité,
j'aimais le sentiment qu'il éprouvait pour moi... "

Ainsi songeait Thérèse apaisée, dans le sombre
après-midi, immobile sur la chauffeuse et ne sentant plus son cœur. Elle se représentait Georges
Filhot, tel qu'il lui était d'abord apparu : mal rasé,
l'œil bigle, le chandail douteux; elle se familia-
risait avec cette image d'un garçon vraiment bien
ordinaire. Risquer un battement de son cœur
malade pour cet être pareil à des milliers d'autres?
Ce verre grossissant, ce verre déformant qui si
souvent s'était interposé entre elle et les créatures,
soudain disparaissait; et elle voyait Georges tel
qu'il était réellement (et non tel que le voyaient
Marie, Mondoux ou Mme Garcin) : un grand
garçon efflanqué, très campagnard, assez mal tenu,
et qui louchait. Elle éprouvait une honte irritée,
pour avoir attaché tant de prix à quelqu'un d'aussi
médiocre. Elle fut au moment de lui envoyer un
pneu pour l'empêcher de venir; mais il fallait le
recevoir à cause de Marie.

Dès cinq heures, Anna avait clos les volets et allumé le feu. Tout de même Thérèse se réjouissait de ce que sa soirée du lendemain ne serait pas solitaire. La certitude que quelqu'un viendrait demain dégageait de tout ennui ces longues heures de réflexion calme. La fièvre était tombée, et cette angoisse. Fini de frémir et de délirer à propos de la première créature venue; elle allait peut-être sortir de son cachot, ne pas mourir seule, mais dans les bras de Marie.

Ainsi s'écoulèrent ces deux jours, dans la paix recouvrée, et son cœur ne battit pas plus vite lorsque, l'heure venue, elle entendit Anna ouvrir la porte.

## VII

Dès le premier regard qu'elle jeta sur Georges, elle ressentit de la joie parce qu'il était bien le garçon ordinaire qu'elle se représentait depuis la veille, l'air empêtré avec son pardessus qu'il oubliait toujours de laisser dans l'antichambre, et cette manie de souffler et de s'essuyer le front, à la fois pour se donner une contenance et pour montrer l'effort que lui coûtait son exactitude.

Thérèse n'avait laissé allumée qu'une lampe sur la table, derrière elle; Georges devinait plus qu'il ne la voyait cette figure qu'il aurait voulu scruter à loisir pendant des heures. Avec trop de hâte, avec quelque affectation, Thérèse lui parlait déjà de Marie et le remerciait d'avoir mis tant d'empressement à lui écrire.

— C'est parce que vous me l'aviez demandé.

Elle feignit ne pas comprendre et tendit à Georges la lettre de Marie. Il la prit, y jeta les yeux d'un air de négligence, puis les releva vers Thérèse qui, cependant, s'écriait :

— Comme elle est fine! comme elle sent les
choses! Je puis vous l'avouer maintenant : je ne
la croyais pas très intelligente. Nous jugeons et
condamnons nos enfants sur une réflexion na ve
ou maladroite, sur des propos qu'ils répètent et
qui, le plus souvent, ne viennent pas d'eux. Mais
Marie est très, très intelligente, insista-t-elle en
appuyant sur *très*.

Et à mesure qu'elle parlait, elle avait la certitude que chacune de ses paroles irritait davantage
le garçon contre Marie. Que de fois, au cours de
sa vie, s'était-elle efforcée de feindre l'indifférence pour faire croire à l'être aimé qu'elle ne pensait pas à lui! Mais alors sa ruse ne lui avait servi
de rien : son amour se trahissait dans l'effort même
qu'elle faisai pour le cacher. Et aujourd'hui, voici
que Thérèse ressemblait à un joueur qui, à chaque
coup, eût décuplé sa mise. Elle s'interrompit alors
au milieu d'une phrase (car sa bonne foi était
entière) :

— J'ai beaucoup de sympathie pour votre ami
Mondoux.

Elle avait jeté cela, au hasard, pour changer de
propos. Et cette fois encore, sans l'avoir voulu,
elle sut qu'elle avait fait mouche.

— Oui, j'ai senti qu'il vous avait plu. Mais,
ajouta Georges d'un air piqué, ce n'est pas réci-
proque : lui, ne vous a pas comprise.

— Il n'avait rien à comprendre... Il a vu d'abord ce que je suis, — ou plutôt ce que je ne suis pas !

— C'est votre supériorité sur lui : tout de suite vous l'avez estimé à sa valeur, alors que ce qu'il y a en vous d'unique lui échappait.

— Ce qu'il y a en moi d'unique...

Elle demeura en suspens, et tout à coup s'aperçut qu'elle donnait ainsi à Georges l'occasion qu'il guettait pour l'interroger sur ce qui s'était passé à Argelouse, quinze années plus tôt, dans la sombre maison que es pins enserrent. Effrayée, elle chercha ce qu'elle pourrait dire mais rien ne lui vint ; elle se sentait à la fois l'esprit lucide et paralysé. Penchée vers le feu pour ne pas regarder Georges, elle entendait venir la question inévitable. De nouveau, elle allait subir la *question*. Que faire ? En avouer assez pour détourner d'elle ce garçon ; mais tout de même ne lui fournir aucun prétexte d'abandonner Marie...

— Sans doute, disait-il, vous êtes unique ; vous ne ressemblez à personne. Et c'est pourquoi je vous crois capable...

Cette fois elle leva les yeux vers lui et, sans effort apparent, demanda : " Capable de tout ? " Georges Filhot devint très rouge :

— Vous ne me comprenez pas : je vous crois capable de tout sur le plan de la grandeur... Par

exemple, vous seriez femme à ne pas vous défendre
contre une accusation affreuse que vous n'auriez
pas méritée...

Elle se leva, fit quelques pas dans la pièce, puis
se tint debout contre le mur, derrière le fauteuil de
Georges qui n'osait pas tourner la tête. Elle répondit sèchement qu'il était libre de croire tout ce
qu'il lui plairait d'imaginer. Il demanda d'une voix
frémissante :

— Cela vous est donc égal, ce que je pense de
vous ?

— Rien ne m'importe davantage, vous le savez
bien.

Avec une anxieuse espérance, il se redressa, se
mit à genoux sur le fauteuil, la figure levée vers
Thérèse.

— D'abord, ajouta-t-elle, à cause de Marie.

Il soupira : " Ça m'aurait étonné ! " et marmonna des paroles que Thérèse n'entendit pas,
mais elle devina que cela pouvait être : " Je me
moque bien de Marie... ", sans doute en termes
plus grossiers. Alors elle le regarda, elle osa le
regarder. Tout ce qu'elle avait chéri par-dessus
tout en ce monde, tout ce qui lui avait été si avare-
ment départi en quelques rencontres de sa jeunesse et dont elle s'était crue sevrée à jamais, cette
angoisse qu'elle seule aurait pu calmer, cette douleur dont elle était le principe, tout cela lui était

rendu d'un coup dans les yeux un peu hagards
fixés sur les siens. Elle sentait venir vers elle une
parole terrible que son cœur malade ne pourrait
pas supporter. Elle voulut s'en garer et, s'effor-
çant de sourire, elle dit :

— Je ne suis pas intéressante. Vous vous
méprenez...

Mais elle n'avait pas fini de parler qu'elle entendait une voix étrangère :

— Personne au monde ne m'intéresse que vous.

Elle se courba un peu, comme pour éviter un
second coup, murmura : "Il n'y a pas de raison...
pourquoi vous intéresserais-je ? " Et enfin reçut
en plein cœur la parole attendue, bien qu'elle
l'entendît à peine :

— C'est que je vous aime.

Oui, en plein cœur; de sorte que l'angoisse
physique l'occupa d'abord tout entière; une grimace contracta ses traits où Georges crut lire une
expression de fureur.

Cependant Thérèse n'avait même plus la force
de tendre les mains vers ce visage terrifié. Elle
demeurait sans voix pour protester contre les
paroles d'humilité stupide que balbutiait l'enfant :

— Vous vous moquez de moi... Je sais que je
vous fais horreur.

Elle tenta un geste de dénégation et, soulevant
un peu la main droite, la posa sur les cheveux

rebelles, les rejeta comme elle eût fait pour découvrir le front de son fils avant le baiser du soir. Il
ferma les yeux, toujours à genoux sur le fauteuil,
les coudes appuyés au dossier. Le cœur de Thérèse
battait moins fort; elle respira profondément. Il
dit encore :

— Je vous fais pitié.

Elle ne répondit pas, parce qu'elle était sans
voix; et ce silence involontaire la servait mieux
que n'eût fait aucune protestation. " Ayez pitié de
moi ", répétait l'enfant. Tout çe qu'elle put faire,
ce fut d'attirer cette tête contre son épaule, dans
un geste qu'il crut en effet pitoyable. Comme elle
ne souffrait plus, bien que la position fût incom-
mode, elle demeura immobile, respirant dans les
cheveux sombres une pauvre odeur de brillantine.
Mais très vite elle dut dégager son bras qui lui
faisait mal. Voilà... c'était fini.

Elle demanda à Georges de s'asseoir sur la
chauffeuse, d'un ton d'autorité. Elle-même prit le
fauteuil, mais sans y renverser son corps, et dans
une attitude surveillée. Elle dit :

— Vous êtes un enfant.

— Je sais bien que vous ne me prendrez jamais
au sérieux. J'avais le choix entre votre dédain et
votre haine. Je ne sais si je n'aurais préféré...

C'était le sourire attendri de Thérèse qui faisait
croire au garçon qu'elle le méprisait. Cependant

elle songeait aux heures de sa vie où elle avait été tout près d'entendre ce " je vous aime "; mais si elle avait presque vu se former les mots au bord des lèvres, toujours, à la dernière seconde, par une triste rouerie, l'adversaire es avait retenus. Et elle-même, que de fois avait-elle serré la bouche pour empêcher l'aveu qui eût assuré sa défaite! Car tout le jeu avait toujours tenu dans cette pauvre ruse, dans cette terreur que l'autre se rassure et devienne indifférent. Ce grand garçon, lui, avait laissé parler son cœur, comme l'on dit. " Mais il va me voir, songeait Thérèse. Tout à coup, il va me voir telle que je suis... " Elle se leva et jeta un rapide coup d'œil sur la femme qui lui apparaissait dans la glace de la cheminée. Une légère rougeur, qui n'était point celle du fard, colorait ses joues; ses yeux resplendissaient; son beau front n'avait pas une ride. Les deux plis qui joignaient les ailes du nez à la commissure des lèvres, sans la vieillir, lui prêtaient un grand air implacable. Elle se voyait, à cette seconde, transfigurée par la passion dont elle était l'objet. C'était son image idéale, reflétée dans l'humble regard de cet enfant fou, qui lui apparaissait au fond du miroir.

Elle éprouva un grand apaisement et savoura son triomphe avec une sécurité pleine de délices. Thérèse allait se livrer, se découvrir, balbutier ces paroles de stupeur et de gratitude qui viennent aux lèvres des êtres aimés, quand ils ne sont plus jeunes. Elle était au moment de dessiller elle-même les yeux de l'enfant, de le désenchanter, de lui découvrir soudain une vieille femme éperdue et déjà pitoyable... Mais appuyant sur le marbre de la cheminée ses mains brûlantes pour les rafraîchir, Thérèse toucha des papiers épars : la lettre de Marie, que Georges, après un regard distrait, avait laissée là sans en achever la lecture.

Thérèse ferma les yeux, serra les dents, la tête penchée sur ces feuilles, couvertes de jambages bêtes. Marie? N'allait-elle pas laisser sa mère en paix, celle-là? Chacun joue son jeu. N'était-ce pas Marie elle-même qui lui avait livré ce garçon? Elle jugeait Thérèse inoffensive, n'imaginant même pas que le péril pût venir de ce côté-là. Stupide jeunesse qui se croit seule aimée! Mais l'amour cherche dans les êtres, au-delà de la chair, un secret d'ardeur, de science et de ruse que possèdent ceux-là seulement qui ont vécu. A cette heure-ci, Marie veille peut-être dans la grande chambre d'Argelouse que les pins entourent d'un chuchotement infini. Elle veille dans une sécurité profonde, parce que désormais elle a confié à Thérèse son amour et sa vie. C'est la même chambre que Thérèse occupa autrefois, au-dessous de celle où Bernard gémissait; et à travers le plafond elle guettait ses gémissements... Ah! elle n'a

plus besoin d'être présente pour assassiner les
êtres! Elle les tue à distance maintenant.

Elle prit un à un les feuillets dans ses mains
tremblantes, les mit en ordre et les glissa dans
l'enveloppe. Elle leva les bras, appuya ses paumes
contre ses paupières, se tourna brusquement vers
le garçon accroupi sur cette chaise basse où elle-
même avait tant souffert, et lui dit à mi-voix, les
dents serrées :

— Allez-vous-en.

Il se leva, lui jeta un regard de chien battu. Il
remuait les lèvres; sans doute, devait-il lui demander pardon. Elle le poussait vers le vestibule,
lui tendait son pardessus, ouvrait la porte. Il s'en
allait à reculons, les yeux fixés sur elle. L'escalier
était obscur et empuanti. La minuterie ne fonction-
nait pas. Elle lui dit :

— Tenez bien la rampe...

Il descendait quatre à quatre, et déjà avait
atteint l'entresol, quand il reconnut son nom :
" Georges! " Elle l'appelait. Il la rejoignit sur le
palier. Elle l'entendait haleter. Comme il avançait
vers la porte :

— Non, dit-elle, n'entrez pas. Je voulais seulement vous dire... Tout est vrai! ajouta-t-elle avec
effort (elle chuchotait vite). Oui, quoi qu'on ait
pu vous raconter à mon sujet, dites-vous bien que
je suis quelqu'un qu'il est impossible de calom-

nier. Vous ne voulez pas répondre? Faites-moi un signe pour que je sache que vous avez compris.

Mais il demeurait immobile contre la rampe. Leurs yeux s'étaient accoutumés aux ténèbres, bien qu'ils ne pussent discerner les traits ni l'expression du visage. Chacun d'eux voyait la masse d'un corps, entendait un halètement; et elle reconnaissait cette odeur de brillantine bon marché, et elle sentait la chaleur de ce jeune vivant.

— Voilà ce que j'avais à vous dire, chuchota-t-elle. Vous savez maintenant?

La porte de la rue fut ouverte et refermée avec force. Quelqu'un dit un nom au concierge. Une brève lueur apparut au bas de l'escalier. Le locataire allumait des allumettes bougies et montait en grommelant. Thérèse et Georges rentrèrent en hâte dans le vestibule. Le salon était resté éclairé. Ils clignèrent des yeux et ils n'osaient se regarder.

— Avez-vous compris? demanda-t-elle.

Il secoua la tête :

— Je ne vous crois pas. Vous vous chargez, pour vous débarrasser de moi. C'est à cause de Marie... Eh bien! reprit-il avec une brusque rage, votre ruse ne vous servira de rien. Je ne l'épouserai pas. M'entendez-vous? Je ne l'épouserai jamais... Ah! je vous ai coupé votre effet!

Thérèse appuyée contre la bibliothèque fermait à demi les yeux, détournait la tête, en proie à une

joie terrible qu'elle cherchait à étouffer. Il n'épou-
serait pas Marie. Quoi qu'il pût advenir, la petite
ne l'aurait pas, Georges ne lui appartiendrait
jamais. Thérèse avait de cette joie une conscience
qui allait jusqu'à l'horreur. Elle souhaita de tomber
morte, à cette minute même, et que l'angoisse qui
serrait sa poitrine fût la dernière avant celle de
l'agonie; mais rien au monde ne pouvait l'empêcher de ressentir ce merveilleux bonheur d'être
préférée.

Quand elle fut assurée de pouvoir opposer au
garçon un front sévère, un regard sans expression,
elle tourna lentement son visage vers lui qui était
debout au milieu de la pièce, les bras ballants, la
tête basse, le regard en dessous, avec un air sournois de mauvais chien.

— Je le regrette, dit-elle sèchement. J'espère
que vous reviendrez sur votre décision. Quant à
moi, je ne puis rien de plus. En tout ceci du
moins, je suis assurée d'être innocente. Je crois
que nous n'avons plus rien à nous dire.

Elle ouvrit la porte et s'effaça pour le laisser
passer. Mais il demeurait immobile et ne la quittait pas des yeux. Il dit enfin :

— Il faut que vous sachiez... Il faut que vous
soyez avertie : je ne pourrai plus vivre sans vous.

— On dit ça!

Thérèse affectait un ton léger. Elle feignait de

n'attacher aucune importance à ce " je ne pourrai
plus vivre sans vous ". Mais, en vérité, elle avait
compris; elle avait assez roulé, depuis des années,
pour ne pas se tromper et déceler d'abord un certain accent qui est celui du désespoir sans remède.
Elle ne doutait pas qu'il fallût prendre ces paroles
à la lettre. Cette espèce de garçon lui était connue.
Alors elle s'approcha doucement, et comme elle
avait déjà fait, au commencement de la soirée,
attira cette tête contre son épaule. Georges l'appuyait de tout son poids sur l'avant-bras de
Thérèse et, pour le contempler, elle ployait le cou,
comme une femme qui regarde son nourrisson.
Lui ne souriait pas, les yeux grands ouverts, un
peu hagards. Et elle s'étonnait de découvrir sur
cette jeune face tant de signes d'usure. Il n'y avait
pas que les cicatrices laissées par les jeux d'un
écolier turbulent : un peu partout des griffes
légères, et sur le front des rides déjà profondes.
Mais quand il ferma les yeux, ses paupières lisses
et pures étaient bien celles de l'enfance.

Elle s'arracha brusquement à cette contempla-
tion, fit asseoir Georges dans le fauteuil, approcha
la chaise basse et, avec effort, prononça des paroles
raisonnables. Elle était, disait-elle, une vieille
femme qui n'avait rien à lui offrir. La plus grande
preuve d'affection qu'elle lui pût donner c'était de
le détourner d'une triste épave, d'une créature finie.

A mesure qu'elle parlait, Thérèse faisait exprès de rejeter les cheveux qui ombrageaient son front trop vaste; elle découvrait ses oreilles; et ce geste accompli avec négligence, mais qui lui coûtait un effort héroïque, elle s'étonnait de ne pas en voir tout de suite l'effet, — tant nous avons peine à comprendre que souvent l'amour ne tient aucun compte des apparences, que cette mèche blanche que nous souhaitons de lui cacher l'attendrirait, bien loin de lui déplaire, s'il la voyait; mais il ne la voit pas. Non, ce n'était pas une femme à demi détruite que Georges dévorait des yeux, mais un être invisible qui s'exprimait dans un regard, dans cette voix un peu rauque et dont la plus simple parole avait pour lui une valeur, une importance démesurée. En vain Thérèse montrait-elle à cet enfant son front dévasté, il détenait le privilège de la contempler en dehors du temps, désincarnée. C'est toujours le mystère d'une âme que la passion, même coupable, nous découvre; et toute une vie de souillures n'altère-pas cette splendeur d'un être tel que nous le livre l'amour.

Ainsi, Thérèse, à mesure qu'elle détruisait dans un immense effort ses pauvres défenses, s'étonnait de ne pas voir décroître la passion dans les yeux arrêtés sur les siens. Avait-il conscience de l'effort que chaque mot coûtait à cette femme? Ce qu'elle eût voulu lui dissimuler à tout prix, l'abîme que

leur âge créait entre eux, la certitude que, quoi
qu'il pût advenir, cet amour était condamné à
mort, et à une mort toute proche, c'était pourtant sur cela qu'elle s'efforçait d'arrêter sa propre
pensée et de fixer l'attention de Georges.

— Vous, vingt ans... répétait-elle, et moi plus
de quarante (elle reculait tout de même devant
l'énoncé du chiffre exact). Qu'espérez-vous de
moi? Il suffirait d'une nuit pour dissiper le fantôme que vous vous êtes créé...

Il protesta qu'il n'avait plus vingt ans :

— J'en ai vingt-deux... D'ailleurs, oubliez-
vous ce que vous m'avez dit, le jour où vous êtes
venue dans ma chambre? Car c'est vous qui êtes
venue... Est-ce que je vous ai cherchée? Vous
m'avez dit...

Il ferma les yeux pour retrouver, au fond de
lui, les termes exacts dont Thérèse s'était servie.

— Rappelez-vous : comme je me vantais stupi-
dement de n'avoir que vingt-deux ans, vous
m'avez répondu : " Vous feriez mieux de dire que
vous avez *déjà* vingt-deux ans. " Et vous avez
ajouté ce mot terrible, — terrible pour moi parce
qu'il rendait clair ce dont je souffre confusément
depuis mon adolescence : " Dès qu'on est embarqué, c'est comme si on était déjà arrivé... "

— Quelle mémoire vous avez!

Thérèse riait. Mais que n'eût-elle donné pour

que ces paroles n'aient pas été prononcées! Cependant Georges secouait la tête :

— Je n'ai pas de mémoire, sauf pour ce qui vient de vous. C'est au point que moi qui m'ennuyais tellement, depuis que je vous connais, j'ai cette distraction de ressasser vos moindres propos. Je puis penser indéfiniment à une phrase que vous avez dite. Entre le moment où elle me semb'e toute neuve et celui où je ne la comprends plus, il peut se passer des heures, des jours... Mais il en est une qui m'apparaît de plus en plus claire. Oui, être embarqué, c'est être arrivé. Mais alors pourquoi opposer mon âge au vôtre? Quelle différence entre nous qui sommes embarqués ensemble? Ma jeunesse... cette eau entre mes doigts, ce sable que je ne puis retenir... C'est une force apparente, une fausse fraîcheur à quoi s'attachent les quelques êtres qui prétendent m'aimer... Mais moi, moi, ce qui restera de moi dans quelques années, ils s'en moquent bien. Mondoux lui-même... Au fond, il me trouve bête. Il dit : " Ce qu'il y a d'intéressant en toi, c'est l'animal. "

Thérèse posa une main sur le genou du garçon. Elle cherchait ce qu'il fallait lui répondre, comme s'il eût existé des mots contrepoison pour le guérir de ceux qu'il avait retenus. Elle lui disait n'importe quoi : que la jeunesse en effet n'était rien, que ce qu'il importait de découvrir, c'était

une raison de vivre. Tout homme a la sienne, de
la plus haute à la plus basse. Ne voyait-il pas ses
camarades, chacun s'agitant pour Dieu, pour le
Roi, pour la classe ouvrière, pour ceci, pour
cela... ou plus simplement adonnés aux jeux :
combien de garçons et de filles, aujourd'hui, trou-
vent dans la culture de leur corps de quoi occuper
leur pensée?...

Thérèse parlait avec application, et Georges
haussait les épaules, remuait la tête.

— Non, ce qu'il faudrait... vous l'avez dit un
soir. (Et comme Thérèse soupirait : " Qu'ai-je
encore dit? ") Vous vous rappelez? le soir du jour
où je vous ai connue... après avoir accompagné
Marie à la gare, j'ai osé revenir ici. Vous avez été
merveilleuse... Vous avez dit... (Et il lui répéta
presque mot pour mot.) " Il faudrait que la vie
avec la créature que nous aimons fût une longue
sieste au soleil, un repos sans fin, une quiétude
animale... cette certitude qu'un être est là, à portée
de notre main, accordé, soumis, comblé; et que
pas plus que nous-même il ne saurait désirer d'être
ailleurs. Il faudrait à l'entour une telle torpeur que
la pensée fût engourdie, afin de rendre impossible
même en esprit toute trahison... "

— C'étaient des paroles en l'air, mon pauvre
enfant, de ces choses que l'on dit pour remplir les
silences. Vous voyez bien qu'elles ne correspon-

dent à rien de réel. L'amour n'est pas le tout de la
vie, — pour les hommes surtout...

Elle partit d'abord sur ce thème. Elle aurait pu
parler jusqu'à l'aube; les propos pleins de bon
sens qu'elle tenait par devoir et avec effort n'étaient
pas de ceux qui se gravaient dans l'esprit de
Georges. Sans doute ne les entendait-il pas, ne
retenant de Thérèse que ce qui nourrissait son
désespoir : elle ne lui fournissait que de quoi être
désespéré. Et c'est pourquoi, à son insu peut-être,
infléchit-elle son discours dans le sens qu'il exigeait. A mesure qu'elle énumérait les raisons
qu'avait un garçon de vingt ans pour aimer la vie,
elle retrouvait peu à peu le ton de l'ironie : alors il
dressa l'oreille et leva vers elle son visage avide et
triste; ses dents brillaient entre ses lèvres entrou-
vertes. " Oui, sans doute, la politique... disait
Thérèse. Mais il ne fallait pas appartenir à cette
espèce d'êtres que l'histoire de leur propre cœur
accapare tout entiers. Le plus souvent ils en
éprouvent de la honte : ils feignent de s'intéresser
à ce qui passionne le monde autour d'eux; ils
dissimulent comme une honteuse plaie de leur
nature cette angoisse panique, cette tendresse
désespérée devant une seule créature; — désespérée, parce que pour eux toute possession est
illusoire : ce que l'on tient n'est déjà plus là : à
chaque minute se pose à nouveau la question de

savoir si l'on est encore aimé, s'il n'y a pas eu de
fléchissement... "

Thérèse semblait parler pour elle-même. Elle
disait :

— On ne relit jamais les vieilles lettres, n'est-ce
pas ? On préfère les déchirer sans les relire, puisqu'elles témoignent de ce qui n'existe plus. Aux
moments les plus heureux, la créature qui prétend
nous aimer accepte de se passer de nous... ses
affaires l'occupent, sa famille... elle nous fait l'au-
mône. Nous ne recevons, aux plus beaux moments,
que cette goutte d'eau que le Riche, du fond de
l'abîme, demandait à Lazare. Oui, et pas même
cela ! car l'être chéri est presque toujours ce Pauvre,
glorifié mais démuni de tout, et qui n'a rien à
nous donner, à nous qui sommes à cause de lui
dans les flammes... Mais non, Georges, je vous dis
des folies. Ces propos n'ont aucun sens, où n'ont
de sens que pour moi. Ne me regardez pas avec
cet air de fou.

S'étant levée, elle passa derrière la chaise basse
où il était assis et lui couvrit de ses deux mains les
yeux. Il les saisit dans les siennes. Elle pensa à ses
vieilles mains qui étaient abîmées, marquées de
légères tavelures et qu'il les découvrait à cette
seconde même. Mais s'il les vit, sans doute les
aima-t-il comme tout ce qui appartenait à Thérèse;
d'ailleurs c'était sur la paume et les poignets qu'il

appuyait ses lèvres. Elle ne se défendait pas, songeant aux paroles qu'elle n'avait pas su retenir et
qu'il repasserait indéfiniment dans son cœur. Elle
dit à mi-voix :

— Je vous empoisonne.

Ce mot à peine prononcé, elle sentit ses joues
devenir brûlantes. Il ne bougeait pas, pressant
toujours contre sa bouche les petites mains tave-
lées de Thérèse. Mais à un très léger frémisse-
ment, elle comprit que le mot l'avait atteint. De
ce côté-là, s'ouvrait peut-être une issue, songeait-
elle ; il fallait aller de l'avant, pour que lui du
moins fût sauvé. Marie était perdue, elle l'avait
perdue ; mais Georges pouvait être encore sauvé.
Sans plus réfléchir, elle répéta :

— Je vous empoisonne, vous aussi.

— Oui, dit-il avec moquerie. Oui, Thérèse (il
l'appelait pour la première fois par son prénom
avec une tendresse hésitante), j'ai compris. Pourquoi insistez-vous ?

Et il appuya avec plus de force ses lèvres contre
les mains qu'il retenait. Ils entendirent Anna qui
préparait la chambre pour la nuit. Puis la porte de
la cuisine fut fermée. Ils surent qu'ils restaient
seuls dans l'appartement. La maison s'endormait ;
la rue devenait calme. Une flamme vacillante se
reflétait dans la bibliothèque ramenée d'Argelouse. Sur le marbre de la cheminée se détachait

l'enveloppe violette où Marie avait écrit à l'encre
rouge : *Madame Desqueyroux, rue du Bac ;* et Thérèse
ne la quittait pas des yeux ; comme une nageuse,
pour reprendre son souffle, demeure étendue la
face vers le ciel, elle flottait immobile, sentant sur
ses mains la bouche de Georges, mais sans faire
aucun mouvement, ni donner le moindre signe de
connivence.

— Vous ne me croyez pas ? reprit-elle à voix
basse et irritée.

Elle dégagea sans violence ses bras que le garçon
s'efforçait de retenir et s'éloigna un peu de lui. Ils
étaient debout, se mesurant du regard. Qu'il exaspérait Thérèse, avec son sourire à la fois incrédule
et anxieux ! Comme il disait : " Au fond, vous me
haïssez... "

— Je vous hais, parce que vous ne voulez pas
me croire. Vous êtes comme les autres idiots
d'Argelouse : vous considérez du même œil qu'eux
ce crime ; il vous paraît inimaginable que j'aie pu
commettre une action si noire ; vous ne comprenez
pas qu'elle est peut-être peu de chose au prix de ce
que j'accomplis sous vos yeux, depuis que je suis
entrée dans votre vie. Ah ! vous êtes bien le fils de
ces paysans qui se jugent innocents tant qu'ils
n'ont pas tué ! Eh bien ! oui ! j'ai versé des gouttes
d'arsenic, pendant tout un hiver, dans la tasse de
l'homme qui était mon geôlier au fond d'une

prison pire qu'aucune prison de pierre... Et puis après? Tandis que mes victimes aujourd'hui, c'est Marie, et c'est vous qui croyez m'aimer...

Elle avait détourné la tête pendant qu'elle parlait, mais ayant reporté les yeux sur lui, elle se reprit :

— Je veux dire : vous qui, pendant quelques jours, avez cru m'aimer... C'est fini maintenant?

Et comme il haussait les épaules :

— Quoi? reprit-elle irritée. Qu'osez-vous dire? Que je n'ai pas commis cet acte? Je l'ai fait pourtant; mais il n'est rien au prix de mes autres crimes plus lâches, plus secrets, sans aucun risque... Encore une fois, n'avez-vous pas vu à quoi tendaient toutes mes paroles, depuis que nous nous connaissons? Vous secouez la tête? Vous ne savez pas ce que je veux dire?

Il était appuyé contre le mur et dévisageait Thérèse.

— Georges, pourquoi me regardez-vous ainsi? Non, je ne suis pas un monstre... Vous-même... Si vous cherchiez bien... et même sans chercher longtemps... Oh! bien sûr! vous n'avez forcé la dose d'aucun remède pour vous débarrasser d'une créature... Mais il existe tant d'autres moyens de supprimer les êtres! (Et à voix presque basse )

— Combien en avez-vous rejeté de votre vie? Les lèvres du garçon remuèrent, sans qu'il

prononçât aucune parole. Thérèse s'était rapprochée et il ne pouvait reculer.

— Je ne pense pas seulement à des histoires
de femmes... mais à des épisodes plus cachés
comme il y en a dans toute vie... et quelquefois dès
l'enfance.

— Comment le savez-vous? demanda-t-il.

Elle rit de contentement. Elle était satisfaite.
Elle dit d'un ton doux : " Allons, racontez-moi... "
Mais il fit un signe de refus.

— C'est impossible.

— On peut tout me dire, à moi.

— Oh! ce n'est pas que j'aie honte devant
vous... Simplement : c'est trop difficile; c'est
inexprimable... L'idée ne m'est jamais venue de le
confier à personne, parce qu'on m'aurait ri au
nez; c'est moins que rien.

Thérèse, sans le perdre des yeux, insistait :

— Essayez toujours. Tant pis si vous vous
arrêtez en route. Et puis je suis là, je vous aiderai...
Allons!

Ils restaient debout, face à face, Georges toujours appuyé au mur.

— J'étais au collège, en troisième, j'avais
quatorze ans, commença-t-il à mi-voix. Il y avait
dans ma classe un garçon d'une ville assez éloi-
gnée, un pensionnaire qui ne sortait jamais, du
type des écoliers hérissés, mal tenus, bien qu'il fût,

comme nous disions, " joli de figure ". Il s'était
beaucoup attaché à moi. J'étais un enfant très
sensible, ce qui me donnait une réputation de bon
cœur, mais avec un fond de sécheresse. Je ne fis
rien pour l'éloigner et le laissai prendre une grande
place dans ma vie d'écolier, non par amitié mais
par indifférence : un camarade comme un autre,
un peu plus " collant ", voilà ce qu'il était à mes
yeux. Il avait fini par obtenir de ses parents et du
supérieur que je le fisse sortir dans ma famille, les
jours de congé (nous avons toujours eu un pied-
à-terre à Bordeaux et mes parents y demeuraient
presque toute l'année pendant que je fus au collège). Je n'aurais jamais cru qu'un garçon aussi
hors de la vie que l'était mon camarade pût mener
à bien cette négociation. Il y réussit sans doute
parce qu'il était un bon enfant, très pur et très
pieux, et que nos maîtres escomptaient la salutaire
influence qu'il aurait sur moi, déjà fort suspect de
mauvais esprit. Bien que j'y eusse souscrit d'avance
je fus secrètement déçu, le matin où il courut vers
moi, avec un visage radieux, pour m'annoncer sa
victoire. Je feignis de partager sa joie, mais à partir
de ce jour il eut beaucoup à souffrir de mon
humeur. Je ne lui pardonnais pas d'empiéter sur
ma " vie à la maison " qui était, à mes yeux, sacrée.
Et puis je le trouvais exagéré, ridicule, encom-
brant; je le lui faisais sentir. Je pense qu'il ne fut

jamais plus malheureux que ces jeudis et ces
dimanches où, après le dîner, nous le ramenions au
collège en auto, à travers les tristes rues étouf-
fantes et poussiéreuses...

Georges s'interrompit, passa la main sur ses
yeux, regarda Thérèse :

— Vous voyez? C'est moins que rien.

— Je ne trouve pas; continuez.

— Oh! reprit-il précipitamment, vous allez
voir comme c'est peu de chose : vous serez déçue.
Au lendemain des vacances de la Pentecôte, il
m'apprit qu'il devait entrer, dès le mois d'octobre,
dans un collège, près de Londres. Il vit bien que
cette nouvelle n'éveillait en moi aucune émotion.
" Peut-être ne nous reverrons-nous jamais ", me
disait-il. Et je n'ose vous répéter ce que je répon-
dais... Je crois que c'est à peu près tout, ajouta
Georges après un silence.

— Non, dit Thérèse, ce n'est pas tout.

Georges docilement reprit :

— Jusqu'à la distribution des prix, je fus d'autant plus irrité et dur que je le sentais plus triste.
Ce jour-là, où nous devions nous dire adieu, il
voulut, à la fin de la cérémonie, que sa mère vînt
remercier la mienne. A quel sentiment cédai-je?
Je ne désirais point que cette entrevue eût lieu :
c'était une histoire finie, il ne fallait plus en parler.
Je me vois encore entraînant ma mère à pas

rapides. La foule se dispersait à travers le parc; nous piétinions l'herbe écrasée, l'orchestre jouait sous les branches; c'était une matinée de juillet déjà brûlante. J'entendais derrière moi une voix essoufflée : " Georges! Georges! " Comme il était auprès de sa mère, il ne put me rattraper, ou il ne l'osa (car il savait bien que je les avais vus). Il ne pouvait douter que je n'entendisse : " Georges! Georges! "

— Vous l'entendez encore, dit Thérèse.

Sans répondre, il la regarda avec une expression de douleur. Elle demanda :

— Et puis il vous a écrit?

Il nclina la tête.

— Et vous lui avez répondu?

Georges dit " non " à voix basse. Ils se turent, jusqu'à ce que Thérèse posât la question :

— Qu'est-il devenu? (et comme le eune homme baissait le front) Il est mort?

— Oui, répondit-il précipitamment, au Maroc. Il s'était engagé... Inutile de vous dire que ça n'a aucun rapport, vous pensez bien! J'ai su depuis qu'à son retour d'Angleterre, il avait mené une vie terrible... Je ne sais pourquoi je vous ai raconté cela.

Il demeurait immobile, les yeux fixes. Sans doute n'entendait-il pas les autos rouler dans la nuit pluvieuse de Paris, mais cette voix d'enfant, au fond d'un parc, sous les arbres, qui l'appelait depuis tant d'années.

Thérèse à ce moment parut se réveiller, comme si l'angoisse qu'elle avait suscitée l'atteignait, elle aussi :

— Non, mon pauvre petit, cela n'est rien, c'est moins que rien ; (et, comme il hochait la tête) vous le disiez vous-même, Georges : ce n'est rien...

Il gémit : " Que vous m'avez fait mal ! " Elle tendit les bras, voulut l'attirer contre elle, mais il se dégagea avec violence, et elle comprit qu'elle l'avait perdu.

Elle s'était rassise sur la chaise basse et, d'un geste machinal, écartait ses cheveux de son front trop vaste, découvrait ses grandes oreilles pâles, mais cette fois elle ne le faisait pas exprès et c'est pourquoi peut-être Georges la voyait enfin : une figure terrible, et ces vieilles mains qui, quinze années plus tôt, avaient essayé de donner la mort et dont, ce soir encore, il venait de subir l'étreinte. En vérité, il n'en croyait pas ses yeux ; il négligeait ces apparences pour rejoindre l'être inconnu qui l'avait enchanté. C'était elle, c'était toujours elle, et pourtant ce n'était plus elle, cette femme dont il écoutait d'un air stupide la profonde défense. Non, elle n'avait pas voulu lui faire de mal. Jamais elle n'avait eu la volonté de nuire.

Elle disait qu'elle s'était débattue, qu'elle se débat-
trait jusqu'à son dernier souffle; qu'autant de fois
qu'il l'avait fallu, qu'autant de fois qu'il le faudrait, elle remonterait la pente jusqu'au nouveau
point de rechute, comme si elle n'avait rien d'autre
à faire au monde : s'arracher à un bas-fond et y
reglisser, et se reprendre indéfiniment; pendant
des années, elle n'avait pas eu conscience que
c'était là le rythme de son destin. Mais maintenant
voici qu'elle est sortie de cette nuit. Elle voit clair.

Les doigts noués autour de ses genoux, Thérèse
ne levait pas la tête. Elle entendit Georges qui
disait :

— Je voudrais faire quelque chose pour vous...

C'était peut-être, songeait-elle, un mot de
convenance, avant de prendre la fuite. Il répéta
pourtant, avec un air de passion :

— Je voudrais pouvoir quelque chose pour
vous.

Il était sûr qu'elle allait répondre : " Vous ne
pouvez rien pour moi. " Alors il s'enfuirait de
cette pièce, il sortirait de ce cauchemar, et ce serait
de nouveau comme avant qu'il eût connu Thérèse :
sa petite chambre où il serait trop tard pour mettre
un disque, à cause des voisins... A quoi pensait-il
du temps qu'il ne pensait pas à elle?...

Tout à coup, ce soir, elle était devenue une
autre que celle qui l'avait fasciné dès le premier

jour... Elle était devenue pareille à ce que racon-
taient les gens d'Argelouse, et il venait de subir
ses maléfices. Il se souvenait d'un mot d'elle
comme de tout ce qu'elle avait dit devant lui : que
les jugements les plus opposés sur une même créature sont justes, que c'est une affaire d'éclairage,
qu'aucun éclairage n'est plus révélateur qu'un
autre... Mais était-ce la vraie Thérèse, cette tête
sinistre qui lui apparaissait soudain, comme une
fiche d'anthropométrie?

Il répéta, une troisième fois : " Je souffre de ne
rien pouvoir pour vous aider... " En vérité, il ne
songeait qu'à prendre le large, qu'à retrouver sa
chambre où il se déshabillerait sans allumer l'élec-
tricité : quand ses volets étaient ouverts, l'enseigne
lumineuse lui suffisait, au-dessus de l'entrée. Il
rabattrait le drap sur sa figure... Elle n'appartenait pas à Thérèse, elle ne pouvait lui appartenir,
cette voix humble et craintive qui soudain s'éle-
vait :

— Eh bien! oui, vous pouvez quelque chose
pour moi... C'est bien simple : vous pouvez tout...
Mais vous ne voudrez pas.

Il protesta avec une passion qui n'était pas feinte:
Il se tenait debout, et Thérèse, toujours sur la
chaise basse, découvrait machinalement son front
dont Georges détournait les yeux. "Non, non,
elle ne voulait rien dire; à quoi bon parler? " Il

fit un grand effort, se mit à genoux à ses pieds, de
sorte qu'ils se trouvèrent face à face. Il la voyait
de tout près, il observait comme à la loupe cette
chair rongée par le temps. Le regard était aussi
beau qu'il l'avait jamais vu. Mais il découvrait,
autour de ces yeux qui l'avaient tant fait rêver,
un monde meurtri qui ne lui était pas encore
apparu, les bords brûlés d'une mer morte.

— Puisque vous le voulez... Oui, il s'agit de
Marie, reprit-elle avec hésitation. Rassurez-vous,
je ne vous demande rien; seulement d'attendre, de
ne rien compromettre, de laisser faire le temps.
Vous me connaissez assez. Je ne suis pas une mère
qui veut " caser " sa fille; ni même qui consent à
s'abaisser pour que sa fille soit heureuse; car
quelle apparence que vous lui donniez jamais le
bonheur? Non, c'est pour moi que je vous prie,
que je vous supplie... Non, pas pour Marie; pour
moi.

Elle insistait ardemment : lui seul pouvait
vaincre cette puissance de destruction qui la possédait, ce don qui agissait à son insu, cette vertu
terrible qui sortait d'elle. Il voyait ses yeux pleins
de larmes, il entendait cette voix sourde et il balbutiait : "Oui, je vous comprends... Je vous pro-
mets... " S'il existait une créature au monde qu'en
ce moment il souhaitait de ne jamais revoir, c'était
bien la fille de Thérèse. La fille de Thérèse! tout ce

qu'il aurait voulu fuir... Il répétait pourtant : " Ne
vous inquiétez pas de Marie... " Comment eût-il
résisté à une telle supplication?

— Cela ne vous engage à rien... Mais je demeure
persuadée que si vous avez de la patience... L'important pour vous (je vous connais, mon pauvre
enfant!) ce n'est pas d'aimer, c'est d'être aimé;
c'est qu'une femme vous prenne à sa charge, oui,
qu'une femme se charge de vous, tandis que bien
souvent vous serez comme fou à propos de
quelque autre... Vous voyez, il ne s'agit même pas
d'être fidèle... Croyez-vous que Marie n'accepte
pas d'avance tous les coups que vous lui porterez?
Ce n'est pas cela qui compte, mais seulement que
vous soyez dans sa vie, que vous y demeuriez à
jamais.

Elle lui parlait de trop près : il sentait son
haleine. Comme elle lui prenait les mains, il fit un
signe d'assentiment, debout, la tête penchée,
pressé de partir, semblait-il, et c'était Thérèse qui,
pour le remercier et obtenir de nouvelles assu-
rances, le retenait sur le seuil. Elle dit encore (et
c'était à la fois un ordre et une supplication) :

— Vous oublierez cette stupide histoire de
collège.

Il demanda : " Vous croyez? " et sourit avec
son expression sournoise; puis il mit la main sur
le loquet. Mais elle le rappela encore :

— Choisissez un livre dans ma bibliothèque, celui qui vous plaira, et gardez-le.

— Les livres !

Il haussa les épaules et sourit encore. A cette minute, Thérèse épuisée n'éprouvait plus rien pour lui qui ressemblât à l'amour ou même à la tendresse. La douleur irradiait dans le côté gauche et tuait en elle tout remords ; elle paierait cher cette soirée après tant d'autres ! " Quelle pauvre folle je suis ! " C'est encore heureux que ces sortes d'histoires demeurent sans témoin et qu'il ne se trouve personne pour les raconter. Mais enfin elle avait accompli sa tâche... Était-ce bien sûr au moins ? Elle prit encore une fois les deux mains du garçon, le regarda dans les yeux :

— Vous restez dans la vie de Marie ? Vous y restez ? Vous l'avez promis ? insista-t-elle avec passion.

Il avait déjà ouvert la porte ; et ce fut seulement sur le palier qu'il se retourna pour répondre :

— Tant que je vivrai...

Thérèse, enfin apaisée, referma la porte, revint au salon, demeura un instant immobile, puis soudain ouvrit la fenêtre et, ayant poussé les volets, se pencha dans l'humide nuit. Mais les balcons des étages inférieurs lui cachaient le trottoir. Elle n'aperçut pas Georges Filhot ; elle entendit seulement s'éloigner un pas qui était peut-être le sien.

# VIII

Il ne fallait pas songer à s'étendre. Elle demeurait assise, soutenue par les oreillers, les yeux grands ouverts dans les ténèbres, occupée à respirer. C'était l'heure la plus silencieuse. Le moindre soupir d'angoisse ou de joie aurait été perceptible, croyait-elle, aurait suffi à troubler le silence du monde. Thérèse reprenait souffle, pareille à une danseuse, pendant l'entracte, appuyée contre le décor. Le drame était interrompu; il ne reprendrait pas sans elle.

Inimaginable que ce silence nocturne fût fait de milliers d'étreintes et d'agonies. Thérèse se croyait au repos, alors qu'elle était seulement hors du jeu. Mais le jeu continuait ailleurs à son insu. Celui dont elle avait entendu le pas s'éloigner dans la rue déserte, peut-être avait-il regagné sa couche, lui aussi. Peut-être avait-il couru ailleurs. Elle ne se posait pas la question, bien que pourtant elle ne cessât de penser à lui.

Comment était-il habillé ce soir? Il ne savait

pas s'habiller. Elle cherchait à se rappeler la couleur de sa cravate qui ne serrait pas le col trop bas.
Elle retrouvait dans son souvenir un certain
regard qu'il avait pendant qu'elle lui soutenait la
tête, et que pour le voir elle ployait le cou comme
une mère qui sourit à son nourrisson. Et lui ne
répondait pas à son sourire, mais il la dévisageait
avec une fixité de nocturne. Alors elle avait bien
remarqué l'œil gauche un peu " tourné ", comme
disent les gens d'Argelouse. Que lui avait rappelé
cette barbe qui commençait de repousser et de
salir le bas du visage? Ah! oui... ce cadavre, dans
une vieille *Illustration*, d'un jeune anarchiste espa-
gnol abattu par les carabiniers... Elle songea que
Georges aurait pu être là, à son côté, sans risque,
sans crime. Elle souffrait trop; sa maladie les eût
dispensés des pauvres gestes rituels. Il aurait
dormi contre elle de son sommeil d'enfant. Les
mères prennent souvent dans leur lit les enfants
tourmentés par les rêves. Et elle, préservée par
son mal, avec cette promesse de mort dans sa
poitrine, elle se fût nourrie en paix de cette présence humaine, sans témoin; et même celui qu'elle
eût contemplé n'aurait pas été là; car le sommeil
est une absence. Dernière veillée, dernière joie, —
étrange joie à sa mesure, incompréhensible pour
toute autre créature... Ah! pourquoi cette hâte à
le rejeter dans la nuit? Les circonstances qui

auraient rendu ce bonheur un instant possible ne se
rencontreraient jamais plus peut-être... jamais plus !

L'angoisse physique s'apaisait ; elle respirait
plus librement et glissait peu à peu dans un univers
peuplé de choses et de gens d'autrefois ; mais
Georges Filhot n'y occupait aucune place. Elle
dînait avec son mari dans l'appartement de l'île
Saint-Louis où elle avait habité plusieurs années et
où il n'était jamais venu ; Marie était assise entre
eux, déjà jeune fille ; Thérèse aurait voulu quitter
la table à l'insu de Bernard et de Marie ; mais
Anna, en lui servant à boire, lui faisait signe de ne
pas bouger ; et pourtant elle avait à faire elle ne
savait quoi d'urgent, il fallait qu'elle sortît...

Thérèse se réveilla en sursaut ; elle crut que
c'était le matin, mais s'aperçut, la lampe à peine
allumée, qu'elle dormait depuis moins d'une
heure et fit de nouveau la nuit. L'insomnie ne
l'effrayait pas : ce serait merveilleux que de pouvoir penser à Georges. Là, du moins, dans ce
domaine secret de ses imaginations et de ses
inventions patientes, elle ne faisait tort à personne,
elle n'empoisonnait personne. " Mais il ne m'appartient plus, songeait-elle, il appartient à Marie... "

Alors elle s'efforça de ne plus les séparer dans
sa pensée : elle évoqua le couple. Et elle se débat-
tait contre une honte obscure.

Avec une joie amère, avec ce plaisir d'appuyer

à l'endroit douloureux, elle s'arrêtait sur leur
double image confondue : non, la nuit ne serait
pas trop longue pour vivre en esprit cette existence simple et douce de deux époux qui ont des
enfants, que des deuils accablent, qui s'en vont
vers la mort; et le premier endormi a frayé la
route pour que le survivant n'ait pas peur du
sommeil éternel. Thérèse avait toujours détenu
ce pouvoir de se représenter avec exactitude cette
vie qu'elle ne posséderait jamais; elle croyait que
le sublime d'une destinée ordinaire échappe à ceux
qui y sont plongés, et que le pain de chaque jour
n'a plus de goût pour eux; seuls les cœurs qui,
comme elle, en seront éternellement frustrés, se
repaissent de son intolérable absence.

"Non pas une heure, non pas un jour, mais
tous les soirs de la vie, appuyer sa tête sur une
épaule, songeait Thérèse, non pas dans des rencontres éphémères, mais chaque nuit et jusqu'aux
confins de la mort, s'endormir entre des bras
fidèles, cela n'est-il pas donné à la plupart des
êtres? Marie connaîtra ce bonheur, et Georges
aussi le connaîtra. Je leur aurai donné ce que je
n'aurai pas reçu. De cela même qui ne fut pas
mon partage, je les aurai comblés. Qu'importe
que ce soit à Paris ou à Argelouse? Je le dirai à
Georges... je le lui dirai... Mais il n'aime pas
Marie, reprit-elle à mi-voix. Il se résigne... Pour-

quoi se résigne-t-il? Non plus par amour, ni même
par pitié pour moi... afin de tenir sa parole, peut-
être? Beaucoup d'hommes sont ainsi : ils croient
qu'il faut tenir leur parole. ”

Assise, les yeux ouverts, Thérèse tremblait
d'avoir encore une fois fait tout le nécessaire pour
que Georges et Marie fussent le plus malheureux
possible. Son instinct ne se trompait pas lorsqu'il
s'agissait de perdre les autres! Elle tentait de se
défendre : “ Mais non! pour Marie, je suis bien
tranquille; elle aura cela hors de quoi rien n'existe
à ses yeux, la présence de Georges... même s'il
doit la torturer : toutes les femmes abandonnées
se souviennent avec délices de ce qu'elles ont subi.
L'absence leur est l'unique mal; l'absence sans
retour est le seul mal irréparable. ” Mais Georges?
Georges engagé par elle dans une voie dont il avait
horreur...

Les yeux de Thérèse s'étaient accoutumés à la
nuit. Elle voyait la forme de l'armoire, la masse
du fauteuil, et cette vague lueur, sur les vêtements
quittés, qui fusait des persiennes et qui n'était pas
celle de l'aube. Aucun roulement de voitures
n'était proche. Elle répétait : “ Georges... Georges... ” avec une profonde angoisse. Eh bien!
oui... Marie serait nécessaire à Georges, Thérèse
en était sûre, parce qu'elle le connaissait : l'aurait-
elle mieux connu si elle l'avait porté et mis au

monde et nourri, si même elle l'avait vu s'éveiller
à la vie consciente? Ces garçons malades d'attention, qui ne peuvent une seconde détourner leur
attention d'eux-mêmes... Il n'y avait qu'à voir
Georges se toucher sans cesse le nez, les lèvres,
les joues... De ces êtres dont le regard est tourné
en dedans, et qui se regardent vieillir et mourir
minute par minute...

Non, aucune autre issue possible pour lui que
l'amour d'une Marie : un malheur peut-être, mais
le moindre malheur. Au vrai, il ne s'était guère
débattu. Tout de suite, il y avait consenti. Trop
vite, au gré de Thérèse : que sa résistance lui eût
été douce! Mais non, il avait promis sans effort
apparent de rester fidèle à Marie : avec une
incroyable docilité. Sur le seuil de la porte encore,
il avait renouvelé sa promesse. De quelle formule
s'était-il servi? Thérèse la cherche et d'abord ne la
trouve pas. Mais elle est certaine que les mots
vont lui revenir en mémoire, car elle en avait été
frappée : "Il a dit... Ah! oui! Il a dit (et c'est plus
simple, moins solennel que je n'aurais cru), il a dit :
*Tant que je vivrai...* "

Rien d'étrange en somme dans ces paroles.
Pourquoi en avait-elle été saisie, au point de les
retrouver gravées au plus profond de son être?
Et elle croyait réentendre sa voix : cela avait été
prononcé d'un certain accent : *Tant que je vivrai...*

Évidemment, quand il ne vivrait plus... C'était assez absurde d'être parti sur un mot pareil. Il avait jeté cela, sans autre intention que de donner plus de poids à sa promesse. Cela signifiait que la mort seule pourrait l'en délier.

" Non! gémit Thérèse. Non! non! " Elle disait non à cette pensée qui lui venait, qu'elle voulait chasser; à cette crainte absurde, mais qui naissait dans sa chair, à cette angoisse sourde encore, mais qui allait croître, elle en était sûre, l'envahir, la posséder tout entière. Non, aucune menace dans cette petite phrase; ces quatre simples mots ne signifiaient rien de plus : il n'y avait rien à découvrir au-delà de leur sens immédiat : *tant que je vivrai...* Eh bien! oui, lui vivant, Marie ne serait pas abandonnée. Lui vivant, Thérèse pouvait être tranquille sur le sort de Marie... Ah! allait-il falloir, toute la nuit, ressasser ce *tant que je vivrai*, le tourner et le retourner jusqu'à la folie?

Thérèse essayait de se calmer : " En mettant les choses au pire, s'il a voulu dans ces paroles dissimuler une menace, il suffit que je lui écrive ce matin de ne pas se croire engagé... Ou plutôt, non : j'irai le voir. "

Elle se leva et, grelottante, ouvrit la fenêtre, poussa les volets. Il pleuvait. Le petit jour éclairait les toits. Un pas retentissait dans la rue vide, comme celui de Georges hier soir... Que n'avait-elle couru après lui! Trop tôt pour se lever, pour aller jusqu'à son hôtel. On la croirait folle. Impossible de s'y présenter avant huit heures. Deux heures à attendre. Elle s'enveloppa d'une robe de chambre, pénétra dans le salon que le lustre allumé fit brusquement apparaître tel que Georges l'avait laissé. Thérèse regarda le fauteuil où il s'était mis à genoux, ferma les yeux, crut retrouver, mêlé à l'odeur de tabac froid, son pauvre parfum de brillantine. Non, elle n'ouvrirait pas la fenêtre, ni ne pousserait les volets, afin de le respirer, jusqu'à la limite du possible. Elle avait peur d'altérer ce désordre qui témoignait que Georges était vivant. Le feu couvait encore dont il avait approché ses jambes. Il était vivant. Tout aurait pu se passer pour Thérèse, comme pour une autre femme. Elle aurait pu se retrouver à cette même heure, à cette même place après s'être levée avec précaution afin de ne pas l'éveiller, elle l'aurait entendu respirer par la porte entrouverte. Mais elle avait voulu le perdre; elle l'avait perdu sans retour. Quand elle le reverrait tout à l'heure, à l'hôtel, il ne lui appartiendrait plus de recréer le mirage, elle ne serait plus jamais à ses yeux la femme dont il avait cru pendant quelques jours avoir besoin pour ne pas mourir. Il la connaissait maintenant, il connaissait la vraie Thérèse... Et d'avance elle imaginait son regard lorsqu'elle

entrerait dans sa chambre d'hôtel... Ah! du moins
serait-ce un regard vivant! Cela seul importait
qu'il fût vivant! Qu'avait-elle cru? Qu'avait-elle
osé croire? Quelle folie! Non, Thérèse n'y céde-
rait plus.

Elle ouvrit en grand la fenêtre, s'assit dans le
fauteuil où, quelques heures plus tôt, Georges
s'était agenouillé, et s'étant enveloppée d'une
couverture, posa ses pieds nus sur la chaise basse.
Maintenant le *tant que je vivrai* lui apparaissait
anodin, et elle s'étonnait d'y avoir pu découvrir la
moindre menace. Un souffle pluvieux fit voler sur
la table un peu de cendre de cigarette.

Elle fut réveillée par Anna qui ne lui posa
aucune question.

— Je ne pouvais pas dormir étendue, dit crain-
tivement Thérèse.

La servante lui opposa une figure inexpressive.
Il s'agissait bien de cette fille! Déjà neuf heures.
Peut-être Georges serait-il sorti; mais mieux valait
ne pas le rencontrer. Elle frapperait à sa porte,
sans recevoir aucune réponse, et l'ouvrirait, le
temps d'apercevoir le lit défait. Ou bien elle laisserait sur la table une lettre pour lui rappeler qu'il
ne devait point se croire engagé, qu'il était libre.
Elle écrit cette lettre, puis s'habille en hâte, brisée
mais plus puissante que son accablement. Il sera

temps de mourir de fatigue lorsqu'elle saura que Georges est vivant. Elle donne au chauffeur l'adresse de l'*Hôtel du Chemin de Fer de l'Ouest*. Bientôt, elle sera rassurée; pourtant elle s'applique à imaginer le pire pour être certaine que le pire ne s'accomplira pas. Elle se figure l'hôtel en rumeur. "Vous demandez M. Filhot? Mais ne savez-vous pas que cette nuit?... Les voisins ont entendu un coup sourd... Ils n'ont pas compris ce que c'était... " Elle percevait distinctement les paroles de la gérante : "Oui, la famille a été avertie... Voulez-vous le voir? Il n'est pas changé." Ou bien on lui dirait : " Il est sorti à sept heures, il nous a dit bonjour comme chaque matin. Nous ne nous doutions pas qu'on nous le ramènerait... " Thérèse secoua la tête, respira... Elle pouvait être tranquille désormais : ce qu'elle venait de se représenter si nettement n'existait pas, car elle ne possédait à aucun degré le don de prophétie et le destin est toujours inattendu.

L'hôtel lui parut tranquille. La fenêtre de Georges était fermée, les volets ouverts. Personne dans le couloir, ni dans l'escalier. Elle montait vite : elle paierait cher cette hâte. Quelqu'un chantonne derrière la porte. Il chantonne... Non, c'est dans la chambre voisine. Elle croit pourtant l'entendre respirer, frappe, écoute, frappe encore. La chambre est vide; le lit n'a pas été défait;

l'odeur règne d'une pièce non aérée depuis la veille; ce que sentent toutes les chambres d'hôtel de cet ordre : vieille literie, vieux vêtements. Thérèse ferme la porte. Pourquoi s'affoler? Il est sorti de bonne heure; on a déjà fait sa chambre; il suffit de s'en assurer au bureau. Et même si Thérèse apprend qu'il n'est pas rentré hier soir, pourquoi trouver étrange cette escapade?

Assise sur le lit, le buste penché, elle suivait le dessin d'un faux linoléum : là il avait vécu, souffert; là, ses pieds nus chaque matin se posaient. Sur la table de nuit, des cours de Droit à la polycopie. Au-dessus du lit, le portrait d'une jeune fille aux grosses joues, découpé dans un journal de cinéma. La même en maillot de bain. La place qu'occupent les interprètes de films dans la vie de tous ces garçons... Celles qui se donnent à eux en image seulement... Thérèse s'était redressée : elle vit encore, fixé contre la paroi, un disque de phonographe comme une cible noire. Des livres bon marché sur l'étagère. (De quel ton de mépris, hier soir, il s'était écrié : " Les livres! ") Et tout à coup, sur la table, bien en vue, ce rectangle de papier blanc. Thérèse le prit dans ses mains tremblantes, l'approcha de sa figure : écriture soignée, très lisible et que pourtant elle avait peine à déchiffrer : " Je t'ai attendu en vain, ce matin, aux *Deux Magots*. On me dit ici que tu n'es pas

rentré depuis hier, espèce de... Dès ton retour,
rejoins-moi, chez *Capoulade*, j'y serai jusqu'à deux
heures. " Elle comprenait : c'était de Mondoux...
Inutile d'aller se renseigner au bureau : Georges
avait bien passé la nuit dehors. Mais Mondoux
n'en paraissait guère surpris. Elle respira. Oui,
Mondoux trouvait cela tout naturel. Georges
allait survenir d'une minute à l'autre. Elle l'attendrait... " Comme si c'était la chose la plus
facile !... " soupira-t-elle.

Les autobus et les taxis du matin roulaient
vers la gare. Thérèse se rapprocha de la fenêtre.
Il ne pleuvait plus. Des ouvriers disparaissaient
jusqu'à mi-corps dans une tranchée qui mettait à
nu le boyau noir de l'égout. La mécanique de la
vie était montée que réglait un sergent de ville.
Rien à faire pour l'enrayer, on ne pouvait tuer
que soi-même. Mais on peut pousser les autres au
suicide... " Si Georges s'est tué, il faudra m'arrêter,
me mettre en prison... Je suis folle ! " Elle ferma
la fenêtre, revint s'asseoir sur le lit, attentive à des
bruits de pas, à des appels, à des sonneries. Si
c'était lui pourtant ! Une porte claquait à l'étage
inférieur, un chant s'interrompait derrière la
cloison; et ces sons étranges qui viennent des
tuyaux, ces notes soutenues qui font croire à
quelque orchestre caché... Cette fois, elle ne se
trompe pas : quelqu'un monte rapidement, s'arrête

devant la chambre, elle l'entend respirer, reprendre souffle. Non, ce n'est pas lui; elle ne reconnaît pas d'abord Mondoux.

Lui aussi, il avait entendu vivre quelqu'un dans la chambre, il avait cru que Georges était rentré enfin. Et c'était cette femme. Il venait de chez elle, justement. Ce n'était que cette femme. Et elle songeait : " Ce n'est que Mondoux. " Sans valeur l'un pour l'autre, ils se dévisageaient d'un œil furieux. Mondoux demanda d'une voix sèche :

— Quand l'avez-vous rencontré pour la dernière fois ?

Elle répondit qu'il l'avait quittée la veille, un peu avant minuit. Mondoux poussa une légère exclamation et ses yeux se dérobèrent. Thérèse ne l'avait vu qu'assis, à la terrasse d'un café. Debout, il paraissait immense, une tête fine et pure, des yeux candides; mais le cou dans les épaules, un corps squelettique.

— De quoi avez-vous parlé ? Comment vous êtes-vous quittés ?

Un juge encore, après tant d'autres ! Il ne s'agissait pas pour Thérèse de se récuser. Peut-être avait-on l'œil sur elle maintenant ? Elle répondit docilement qu'ils avaient parlé de sa fille, sur le ton de la confiance, et qu'ils s'étaient quittés dans les meilleurs termes.

Elle n'aurait pas voulu mentir. Ce n'était pas

de sa faute si la vérité demeure inexprimable. On
ne fait pas tenir en quelques mots l'histoire de
deux êtres qui se sont affrontés. Que s'était-il
passé réellement entre eux? Thérèse se sentait
impuissante à le définir. Même torturée par un
juge d'instruction, elle resterait muette. Mais lui,
Mondoux, pourquoi cette inquiétude? Elle n'osait
lui poser la question. Impossible de ne pas voir
qu'il était fou d'angoisse. Ce qu'elle avait craint
prenait terriblement figure tout à coup. Elle balbutia :

— Quelle raison avez-vous de vous effrayer?
Est-il étrange qu'il ne soit pas rentré cette nuit?

Il l'interrompit presque grossièrement : " Pourquoi jouait-elle cette comédie? Elle savait bien
ce qu'il redoutait... "

— Non, en vérité! Je le connais à peine, et
vous depuis longtemps sans doute... C'est à vous
de me dire...

Il fit un signe de dénégation, frappé sans doute
de la même impuissance qui avait empêché Thérèse de raconter les dernières heures vécues avec
Georges, la veille au soir. Debout, dans cette
petite chambre, et face à face, leur ami absent les
séparait, comme si chacun d'eux se fût tenu sur le
bord opposé d'une mer. Et ils ne possédaient rien
en commun que leur angoisse.

— J'ai pensé à aller au commissariat de police;

mais on me rirait au nez. Ce garçon disparu
depuis hier soir! On me dirait d'attendre, de ne
pas m'affoler. En mettant les choses au pire, il ne
pourrait rien y avoir dans les journaux de ce
matin. Nous verrons à midi.

Thérèse murmura : " Vous êtes fou! " Il haussa
les épaules. Elle s'assit sur le lit. Elle rendait les
armes à cette puissance qui n'était peut-être pas
aveugle, à cette volonté sans nom en qui elle
n'avait pas foi (mais tout à l'heure non plus, elle
ne croyait pas qu'il lui appartînt, en prévoyant le
pire, de conjurer le sort; et pourtant elle avait agi
comme si elle y avait cru)... Ainsi, à cette minute,
une supplication folle montait d'elle vers ce néant
qui l'écrasait. Elle feignait de croire qu'un enfant
encore vivant, mais sur le point de succomber,
pouvait être, par la volonté d'une femme, rendu
au monde. Thérèse n'aurait pas été plus haletante
si elle eût tiré sur une corde, et ramené à elle seule,
jusqu'à la berge, un grand corps pesant. Elle avait
des retours de raison : " Quelle folie! " Elle répétait : " Quelle folie! " mais en même temps,
comme pour se faire pardonner son manque de
foi, elle se tendait toute, et, faisant violence à elle
ne savait qui, se livrait à une revendication presque
furieuse.

Mondoux avait ouvert la croisée et s'y était
accoudé. Thérèse lui demanda à quelle heure il

commencerait ses démarches. Il ne l'entendit pas
à cause du bruit de la rue et elle demeura assise sur
le lit, à bout de forces maintenant, honteuse d'avoir
consenti à des prières... Comme si elle avait
jamais cru qu'elles pussent apporter le moindre
changement à ce qui était accompli! Plus rien à
faire que d'attendre, et si le pire était d'ores et
déjà survenu... eh bien! il fallait s'habituer à cette
pensée et l'apprivoiser, — cette pensée avec
laquelle il serait bien dur de vivre : " l'enfant ne
serait pas mort s'il ne m'avait connue. " Insupportable pensée; et pourtant elle s'y accoutume-
rait, comme elle avait toujours fait. Déjà elle
préparait sa défense, elle recommencerait l'éternelle plaidoirie : c'était elle, la première victime
de ses actes, peut-être la plus innocente. Mais son
innocence n'importait plus à personne; cela
comptait seul : un enfant gisait quelque part, la
tempe trouée. Quelle impatience que la chose fût
découverte, les parents avertis!... Mon Dieu! et
Marie! Tout ne finirait pas avec cette mort. Marie!
Tout commençait avec cette mort. Mondoux,
penché sur la rue, ne l'entendait pas gémir
" Marie! " Thérèse était résolue à ne plus tenter
un geste en faveur de la petite, à l'ignorer, puisqu'elle ne pouvait que la blesser à mort, quoi
qu'elle fît. Ne plus s'occuper de Marie : dès que
le coup éclaterait, Thérèse se boucherait les yeux

et les oreilles, comme elle faisait enfant quand
l'orage l'éveillait au milieu de la nuit; elle ne
remuerait pas, ne répondrait à aucune injure, et
laisserait s'accomplir sans une parole le drame
déjà contenu en puissance dans ce corps de
Georges Filhot, étendu quelque part, elle ne savait
où. La justice des hommes ne finirait-elle pas par
lui demander des comptes? On n'échappe pas
deux fois dans une même vie à la police...

Elle entendit la voix de Mondoux. Il parlait à
quelqu'un dans la rue. Thérèse se dressa, mais elle
n'osait approcher de la fenêtre. Mondoux se
retourna et, du ton le plus ordinaire :

— C'est lui.

Elle répéta : " C'est lui? " insensible, les mains
glacées. Déjà elle reconnaissait ce pas dans l'escalier, — ce pas de l'enfant ressuscité, plus faible
que si cette vie rendue à Georges s'était retirée
d'elle tout à coup. Il ne fallait pas s'évanouir; il
était vivant. Elle répétait :

— C'est lui?

Mondoux avait quitté la chambre. Georges
allait apparaître dans ce trou noir de la porte. Il
ne serait pas entouré de bandelettes, le sang ne
coulerait pas le long de sa joue.

Il parut enfin, l'œil trouble, la figure noircie
de barbe, les souliers pleins de boue. Elle n'eut

pas le temps de surprendre son regard. A peine
avait-il aperçu Thérèse qu'il était revenu sur le
palier, en poussant derrière lui la porte. E le
entendit chuchoter d'abord, puis, dans un écla ,
la voix de Georges : " Non! non! la paix! " Une
voix méchante, une voix malade. Mondoux revint.
Il dit que Georges était allé prendre un bain. Cela
l'ennuyait d'être vu dans cet état : " Après une
marche de nuit comme il en fait souvent... "
Thérèse arrangea son chapeau devant la glace, et,
la main sur le loquet, répéta :

— Il vit.

Elle se sentait affaiblie, et pourtant calme, paisible, toute livrée à une impression de bonheur.

— Vous vous êtes affolée... Moi, j'étais un peu
ennuyé, bien sûr... Mais de là à le croire mort...

Thérèse sourit :

— Vous lui direz que j'étais venue seulement
pour lui laisser une lettre : là, sur la table.

Elle se retourna encore; et d'un air hésitant :

— C'est au sujet de ma fille... Voudriez-vous
avoir l'amabilité de la lire? Je m'en rapporte à
vous pour savoir s'il doit en prendre connais-
sance... Vous êtes meilleur juge...

Désormais elle tiendrait en suspicion ses moindres gestes. Cependant Mondoux parcourait la
lettre :

— Je la lui remettrai tout à l'heure, dit-il sèche-

ment. Oui, il faut que Georges se sente libre; il a
une tendance à se croire des obligations, à se
charger bien au-dessus de ses forces.

Comme il ajoutait qu'après de pareilles crises
son ami avait besoin de calme, Thérèse l'interrompit :

— Vous ne m'aviez pas parlé de crises...

Il perdit contenance et protesta, d'un ton encore
lycéen, qu'il n'avait pas de renseignements à lui
donner. En vain Thérèse, pour l'apaiser, s'effor-
çait-elle de retrouver cette voix un peu rauque
dont elle connaissait le pouvoir; en vain bridait-
elle ses paupières : Mondoux demeurait insensible et même devint furieux lorsqu'elle se plaignit
(avec douceur) de n'avoir pas été mise en garde.

— De quel droit étiez-vous entrée dans sa vie?

La colère qu'il retenait depuis une heure, écla-
tait enfin. Thérèse hésita une seconde et dit à mi-
voix : "Il s'agissait de ma fille... ", comme si elle
avait eu des comptes à rendre à cet inconnu.

— Vous vous moquiez bien de votre fille...

Elle le regarda avec étonnement, fit un geste de
lassitude. Que lui importait ce furieux? Elle
essayait de ne pas entendre sa voix méchante :

— J'ai tout de suite lu dans votre jeu. Ce n'est
pas malin que d'agir sur une nature inquiète, sur
une imagination malade. Et dire que vous avez
peut-être cru qu'il vous aimait!

Elle aurait dû hausser les épaules, s'en aller. Mais elle qui avait cru ne plus tenir à rien, ce rire lui était insupportable, et cette moquerie. Elle ne put étouffer un cri : " Si j'avais voulu! "

— Bien sûr, si vous aviez voulu!

Pourquoi restait-elle, pourquoi s'obstinait-elle? Thérèse ne reconnaissait pas sa propre voix. Cette voix lamentable, était-ce la sienne? Il lui semblait qu'une autre femme balbutiait :

— Lui-même m'a juré qu'il m'aimait.

— Il l'a juré à bien d'autres... Oh! je vous l'accorde! vous lui en avez mis plein la figure, comme on dit, il vous croyait une espèce de génie... Mais voyez : ça n'a pas tenu longtemps...

La même voix, cette voix étrangère, cette voix d'une idiote qui n'était pas Thérèse, protesta :

— Tout le temps que j'ai voulu.

Thérèse lamentablement répéta : " Si j'avais voulu... " Si elle avait voulu, si elle lui avait ouvert les bras, si...

— Alors quoi? Vous vous êtes refusée... par vertu?

Elle lui jeta un regard indigné et lui demanda, d'une voix tremblante :

— Que vous ai-je fait?

— Vous n'avez pas voulu nous brouiller? non?

— Moi?

— Oui, vous avez voulu le rendre jaloux. Vous n'avez pas eu le temps de lui raconter que je vous avais fait la cour. Nous ne nous étions vus qu'une fois, et il ne l'aurait pas cru. Mais vous n'y auriez pas manqué, d'ici quelques jours... C'est un truc usé, mais éprouvé. Toutes les femmes le connaissent. En attendant, vous avez feint de me trouver à votre goût... Lorsque vous nous avez quittés, l'autre jour, aux *Deux Magots*, quelle scène il m'a faite!

— La logique n'est pas votre fort, interrompit Thérèse furibonde. Il y a un instant à peine, vous ne vouliez pas qu'il m'ait aimée...

C'était bien elle, cette fois, qui parlait : la Thérèse prête à toutes les morsures, que cet imprudent venait de réveiller : lui seul, disait-elle, crevait de jalousie. La jalousie n'est pas toujours comique; la sienne l'était.

— Pourquoi comique?

Elle répondit par un rire léger, mais dont il sentit l'injure. Et soudain, enflant la voix, elle darda vers lui sa petite tête :

— Aussi extravagant que soit votre ami, il ne saurait l'être au point de vous croire capable de plaire... Si j'avais eu le dessein de le rendre jaloux, j'aurais montré un plus grand souci de vraisemblance...

Elle était sûre d'avoir découvert l'endroit où il

fallait frapper son ennemi; elle le sentait souffrir
avec une jouissance profonde. Et plus venimeuses
étaient les paroles qui montaient à ses lèvres, sans
effort, d'un flot continu, plus sa voix prenait de
suavité. L'assouvissement la rendait douce. La
certitude d'avoir le dernier mot, de donner le
coup de grâce, lui restituait la paix. Elle était tranquille tout à coup, ne sentait plus son cœur. Il
blêmissait, ce garçon si grossier tout à l'heure...

— Quand vous croyez humilier une femme,
cela vous soulage, n'est-ce pas? Vous avez raison,
c'est le seul plaisir que vous soyez en droit d'attendre d'elle. Mais c'est un faux plaisir, parce
que vous ne réussissez jamais à nous faire vraiment du mal. Il n'y a que ceux que nous aimons,
pour détenir ce pouvoir. Seuls, les garçons aimés
sont redoutables. C'est même curieux que l'on
puisse être avec une femme aussi grossier que
vous l'avez été avec moi, et tellement inoffensif...

— Ça ne m'atteint pas! balbutiait Mondoux.

Il répétait : "Ça ne m'atteint pas... ", mais,
ayant ouvert la porte, il poussait Thérèse vers
l'escalier et détournait son visage crispé, mécon-
naissable. Thérèse plongea un instant son regard
dans ces yeux encore pleins d'enfance... Pourquoi
sa rage tomba-t-elle d'un coup? Ce fut, en elle, un
immense reflux de haine; la marée se retirait.
Comment avait-elle osé?

— Non, dit-elle, non! ne me croyez pas.

Il la poussait dehors, mais elle se retenait au chambranle.

— Il ne faut pas me croire, reprit-elle à mi-voix.

— Ce que vous pouvez dire, ce que je m'en moque!

Georges allait revenir d'un instant à l'autre, il ne voulait pas la retrouver dans sa chambre :

— Il m'a bien dit : " Surtout qu'elle s'en aille, que je ne la revoie pas! "

Thérèse s'immobilisa contre la porte et Mondoux ne put soutenir le regard de ce visage pétrifié. Elle avait dégagé doucement le bras qu'il retenait. Quand elle fut sur le palier, sa petite tête se dressa de nouveau :

— Je cherchais à vous blesser. J'ai inventé n'importe quoi...

Il répondit à voix basse :

— Non, non, pas n'importe quoi...

Avec angoisse elle lui demanda :

— Qu'allez-vous faire pour vous venger? Un rapport à la police?

Étonné, il regarda Thérèse descendre, attendit qu'elle eût disparu; puis étant rentré, il s'assit à la table de son ami et s'y accouda, les deux poings contre la figure.

## IX

C'était à lui que Thérèse pensait dans la rue,
longeant les maisons. Georges Filhot, pour l'instant, ne l'occupait plus; ni Marie. Seul Mondoux,
sa dernière victime, l'intéressait. Non qu'elle ait
pu lui faire grand mal; mais ce coup porté d'une
main sûre l'aidait à mesurer son pouvoir, à prendre
conscience de sa mission. Ce n'est pas étonnant
que les gens se retournent sur son passage : une
bête puante se trahit d'abord. Thérèse sentait sur
elle des regards insistants. Elle allongeait le pas,
impatiente de retrouver sa tanière, de se tapir. Il
faudrait vivre en recluse désormais. Pour être sûre
de ne plus nuire, pour éviter aussi les représailles,
car tous ceux à qui elle avait fait du mal finiraient
par se rejoindre. Elle prêtait assez le flanc... Oui,
sans doute, elle avait bénéficié d'un non-lieu;
mais de tels antécédents donnaient du poids à
toutes les calomnies... Quelles calomnies? On ne
pouvait pas la calomnier : n'avait-elle pas commis
plus de crimes qu'on ne lui en pouvait imputer?

Mais personne ne l'accusait! personne. Qu'allait-elle imaginer?

Thérèse eut un léger vertige, s'appuya contre une porte cochère, ferma les yeux pendant quelques secondes, se rappela qu'elle était à jeun. Parbleu! elle avait faim; elle se souvenait de n'avoir pas déjeuné. Non, elle ne devenait pas folle, mais il fallait prendre soin de se nourrir à des heures régulières. Elle entra dans une pâtisserie, but du thé. Tout rentrait dans l'ordre, tout redevenait simple : Georges Filhot était vivant; elle ignorerait Marie désormais, vivrait entre son fauteuil et sa table, sortirait à la nuit tombée. Plus jamais dans la rue en plein jour. Elle ne s'exposerait plus jamais à ces regards qu'elle sentait sur sa nuque.

Voilà sa maison enfin. Pourvu que la concierge ne soit pas dans l'escalier! Elle est devant la loge et cause avec Anna. Pourquoi se taisent-elles à la vue de Thérèse? Pourquoi l'observent-elles avec cette attention pénible? La concierge ouvre la bouche, elle parle :

— Quelqu'un est venu vous demander, ce matin. Oui, un grand type... Il m'a posé des questions...

— Quelles questions?

— Est-ce que je sais? Si vous étiez sortie hier soir, si vous aviez reçu de la visite...

— Qu'avez-vous répondu?

— Que je n'en savais rien; que ce n'était pas mon métier d'espionner...

Thérèse n'osa lui demander : " Qui croyez-vous que c'était? " Elle ne la pria pas de lui décrire ce visiteur inconnu : la vieille femme aurait sans doute répondu : " Un jeune homme, un grand escogriffe... " et peut-être Thérèse aurait-elle reconnu Mondoux qui était en effet venu, rue du Bac, à l'heure même où elle descendait de voiture devant l'*Hôtel du Chemin de Fer de l'Ouest*.

Thérèse grimpa les étages, en proie à un trouble profond, sans tenir compte de son cœur. Elle verrouilla la porte, ne prit pas le temps d'enlever son chapeau et tomba dans un fauteuil. Elle souffrait de la poitrine, mais n'avait plus peur de mourir seule : pourvu qu'elle fût à l'abri des hommes... Anna avait dû monter par l'escalier de service; il faudrait se débarrasser d'Anna. Thérèse l'avait crue en mauvais termes avec la concierge : elles avaient dû se réconcilier sur son dos. Mais la mettre à la porte, s'en faire une ennemie mortelle... Comment trouver le joint pour qu'elle parte d'elle-même? " Si des personnes ont intérêt à ce qu'elle demeure chez moi, rien ne la décidera à s'en aller; elle s'accrochera à la place. "

Thérèse se traîna jusqu'à sa chambre, de nouveau envahie par l'angoisse. " Mais c'est absurde,

songeait-elle, je ne risque rien. Tout ce dont je
suis coupable échappe à la loi. Oui, on peut vouloir me perdre, on peut s'arranger pour me perdre.
Ce n'est qu'un jeu de compromettre une femme
qui a déjà eu maille à partir avec la justice... "

En vain se répétait-elle : " Mais il n'y a rien! "
Elle sentait autour de son cou un nœud coulant.
Aucun raisonnement ne prévalait contre cette
certitude. Le silence de l'appartement lui paraissait louche. Voilà beau temps qu'Anna ne chan-
tait plus ses chansons alsaciennes. Anna était
toujours aux écoutes; elle n'avait dû rien perdre de
ce qui s'était passé au salon avec Marie, avec
Georges. A l'un et à l'autre Thérèse avait affirmé
qu'elle était coupable. Quelle auxiliaire es ennemis
de Thérèse trouveraient dans cette fille! Non, elle
ne chante plus, elle ne remue plus de vaisselle,
mais guette les aveux qui pourraient échapper à sa
maîtresse.

Thérèse alla à la fenêtre, écarta le rideau, vit un
homme debout sur le trottoir, la tête levée. Il
faisait semblant d'attendre l'autobus, se tenait
debout près de l'arrêt, mais ne perdait pas des
yeux l'appartement. "Non! tu sais bien qu'il
attend l'autobus... " Thérèse s'était donné à haute
voix ce démenti, pour se prouver qu'elle avait
tout son bon sens. Elle croyait que depuis sa
chambre, elle ne pouvait entendre respirer que!-

qu'un derrière la porte d'entrée; et pourtant elle
était sûre de ce halètement... Pour en avoir le
cœur net, elle alla ouvrir et se heurta presque à la
concierge "qui avait oublié de remettre à Madame le courrier... ". Thérèse vit de tout près cette
figure plate et grise où brillaient des yeux de truie,
non : de rate. Quelle attention goulue!

— Pourquoi me dévisagez-vous?

— C'est que Madame n'a pas l'air bien.

— Je me sens comme d'habitude.

— Mais, Madame, ce que j'en disais...

— Le type qui est venu hier vous a-t-il demandé si j'étais malade? Non? D'ailleurs ces ragots
ne m'intéressent pas...

Ayant fermé la porte violemment, elle poussa
le verrou. La concierge interloquée grommela :
"Eh bien! alors! " mais, au lieu de descendre,
ouvrit l'appartement d'en face qui était inoccupé,
et par l'escalier de service rejoignit Anna dans sa
cuisine.

Thérèse, sur la chaise basse, penchée en avant
comme lorsque le cœur lui faisait mal, ne bougeait
pas, attentive au moindre bruit, ne vivant plus
que par les oreilles comme une renarde qui
entend les chiens. Anna parlait seule... Non, quelqu'un lui répondait. Il y avait dans la cuisine
une conversation à mi-voix. Quelqu'un complo-
tait avec Anna dans la cuisine.

Thérèse se traîna jusqu'à la salle à manger, colla
son oreille à la serrure, reconnut la voix de a
concierge. Celle-ci n'avait pas eu le temps de descendre par le grand escalier et de remonter par
l'escalier de service. Il faudrait réfléchir à ce
mystère, l'étudier à tête reposée. Pour l'instan ,
s'efforcer de ne pas perdre un mot. La concierge
conseille de surveiller Thérèse. Et même, à son
point de vue, il faudrait avertir la famille. Oui,
Anna dit qu'elle connaît l'adresse... Comment la
connaît-elle? se demande Thérèse. Par Marie sans
doute... Elles correspondent derrière son dos...
Anna entendit du bruit, ouvrit la porte, recula
devant cette face blanche de sa maîtresse.

— Je venais voir si vous serviez bientôt... (et
à la concierge :) Vous êtes remontée, madame?

La vieille balbutia qu'elle était venue dire un
petit bonjour à Anna et disparut dans l'escalier de
service. Anna s'affaire autour du fourneau, sent
peser sur elle ce regard redoutable, n'ose se
retourner.

Thérèse revint s'asseoir sur la chaise basse.
Elle avait touché du doigt contre sa gorge les
mailles du filet. Plus jamais elle ne respirerait
librement. D'abord, ne pas sortir. Ici, elle est surveillée; mais que ferait-on de plus? Le domici e
est inviolable. A moins qu'ils ne déposent une
plainte... Sans doute n'y a-t-il pas matière. Les

aveux qu'Anna a surpris, ils ne peuven s'en
servir directement contre Thérèse maintenant. Si
elle sortait, elle tomberait dans les pièges tendus.
On sait bien qu'elle est coupable, qu'elle mérite le
bagne; ce qu'il leur faut, c'est découvrir un motif
légal... La police a plus d'un tour dans son sac
contre ceux qu'elle a résolu de perdre. Ici, Thérèse est tenue à l'œil, mais ils ne feront rien, parce
qu'ils croient qu'elle finira par sortir. Anna vient
dire :

— Madame est servie.

Elle n'a pas sa voix habituelle et ne perd pas
Thérèse des yeux.

— Madame ne mange pas?

Comme elle a l'air contrarié que Thérèse ne
mange pas!

— Il faut que Madame se force.

D'instinct, la volonté de Thérèse se dresse
contre celle de l'adversaire : si l'on veut qu'elle
mange, c'est donc qu'il est important pour elle de
refuser toute nourriture.

Quand elle apporta le café, Anna vit sa maîtresse assise en face de la porte qu'elle ne perdait
pas des yeux; et plus tard, lorsque la servante
revint pour prendre le plateau, la cafetière était
pleine; Thérèse n'avait pas changé de position.
Ce n'était point qu'elle n'éprouvât le désir de
risquer une sortie et d'étonner ses ennemis par

son audace; ils seraient surpris et n'oseraient rien tenter; elle observerait leurs agissements... Vers quatre heures, comme elle refusait de boire le thé que lui versait Anna, la servante eut l'idée de le goûter devant elle, en faisant claquer la langue, et en disant : " C'est fameux... ", comme lorsque sa petite sœur ne voulait pas manger la soupe. Thérèse aussitôt lui enleva la tasse des mains et but avidement. Et cependant elle regardait Anna avec une expression atroce.

— Madame souffre de son cœur?

— Non, Anna... ou plutôt si... Mais ce n'est pas cela qui me fait mal...

Elle lui saisit les poignets, les serra :

— Vous ne leur livrerez rien? Faites semblant d'être de leur côté... mais ne leur livrez rien.

— Je ne sais ce que Madame veut dire.

— Ce n'est pas la peine d'essayer de me tromper. Ils me tiennent...

— Je vais bassiner le lit; et puis vous dormirez.

— Pourquoi voulez-vous que je dorme? demanda Thérèse avec une brusque violence. Ne comptez pas sur mon sommeil : je ne dormirai plus.

— Personne ne vous veut du mal, pauvre Madame.

— Asseyez-vous, Anna... Tant pis, je vous

dirai tout. Approchez le fauteuil. Ils vous ont
mise dans leur jeu, mais sans rien expliquer. Je
suis quelqu'un qui doit disparaître; ce n'est pas
facile de faire disparaître légalement quelqu'un...
Même lorsqu'il s'agit d'une criminelle... Vous
n'avez pas l'air de comprendre, et c'est terriblement simple, si vous saviez! Pour le crime, qui
pouvait me valoir le bagne, j'ai bénéficié d'un
non-lieu... Mes autres actes ne tombent pas sous
le coup de la loi; ce ne sont pas à proprement
parler des crimes de droit commun... Mais étant
donné ce que j'ai fait autrefois, malgré le non-
lieu, ils trouveront le joint...

Anna, épouvantée, tenait les deux mains de sa
maîtresse, cherchait son regard :

— Il faut dormir, pauvre Madame. C'est le
délire que vous avez...

— Non, je ne suis pas folle. Mais on va vous
le faire croire. Parce qu'ils ont prévu cela aussi :
m'enfermer. Ni vu ni connu. Anna, j'ai tout mon
bon sens. Comment vous persuader que tout est
vrai? C'est impossible à croire, je le sais; et pourtant c'est vrai. Je ne peux plus être entendue, personne ne peut plus me croire. J'ai parlé de souffrance toute ma vie et c'est aujourd'hui seulement
que je sais ce que signifie : souffrir... Pourquoi me
déshabillez-vous?

Elle se laissait pourtant dévêtir sans se débattre,

elle s'abandonnait. Anna la poussait doucement
vers le lit :

— La boule n'est pas trop chaude?

— Non, je suis bien...

Thérèse goûtait une brève impression de
détente et ne lâchait pas cette grosse main humide.

— Vous vous rappelez, Anna? Quelquefois
vous apportiez votre ouvrage; vous restiez jusqu'à
ce que je fusse endormie. C'était le bon temps.
Que j'étais heureuse! Je ne savais pas que j'étais
heureuse! Maintenant, c'est fini. Non, non, n'allez
pas chercher votre ouvrage, ne me laissez pas
seule, ne lâchez pas ma main.

Elle se tut, parut s'être assoupie; et déjà Anna
desserrait doucement les doigts, mais aussitôt
s'éleva la voix lamentable :

— Je ne dors pas, vous savez! J'ai une idée,
Anna... Si j'allais au commissariat? Où est le commissariat le plus proche? Quelle idée! tout dire
depuis le commencement, tout raconter en détail,
leur couper l'herbe sous les pieds. Mais par où
commencer? Ils n'auront pas la patience de
m'écouter, ils ne me croiront pas, Anna! La
calomnie est toujours simple, toujours croyable...
Tandis que la vérité... C'est un monde, la vérité!
Ils n'auront pas la patience, ils ne me croiront
pas... Mais s'ils m'arrêtent, je serai tranquille enfin.
Ce sera fait. Je ne vivrai plus dans ce perpétuel

qui-vive... Faites-moi passer mes affaires, il faut
que je m'habille.

Anna la tenait dans ses bras et lui disait n'importe quoi : elle sortirait demain matin; à cette
heure-ci les commissariats étaient encombrés. Du
moment qu'elle y était décidée, mieux valait passer
une dernière nuit...

— C'est vrai. Je peux dormir maintenant... Je
ne risque plus rien.

Dès qu'Anna se levait, la croyant assoupie, elle
était rappelée, avant même d'avoir posé la main
sur le loquet... Alors elle regagnait docilement sa
chaise. Il faudrait pourtant qu'elle sortît à neuf
heures moins le quart. Le chauffeur du second
l'attendait à neuf heures. Pour la première fo s
elle avait consenti à le recevoir dans sa chambre.
Il avait promis qu'il n'irait pas plus loin que
d'habitude. Anna fermait les yeux, respirait fortement. De quoi s'inquiétait-elle? Rien ne l'empêcherait d'être à neuf heures aux aguets, derrière
sa porte entrebâillée... La vieille finirait bien par
dormir; et puis même si elle ne dormait pas...
Elle lui passerait plutôt sur le corps... L'attente
suffisait à l'occuper; elle savait à quoi penser; elle
ne s'ennuyait pas dans la lueur de la veilleuse. Car
la nuit était déjà venue, cette nuit de bonheur!
La vieille paraissait calme, elle acceptait de boire
un bol de bouillon : " Oui, répétait-elle, je crois

que je vais dormir... " Mais à huit heures, à huit heures et demie, elle rappela encore Anna qui s'en allait, d'une voix terrifiée, et à partir de ce momen:-là demeura les yeux grands ouverts.

A neuf heures, Anna dit : " Cette fois... " Thérèse ne protesta pas, mais se mit à pleurer. Ces sanglots de petite fille avaient plus de pouvoir sur la servante qu'aucune supplication. Elle restait, bien que neuf heures eussent sonné, et qu'elle imaginât l'homme qui, à cette minute, l'appelait sans doute, collait son oreille contre la porte de la chambre du septième, essayait d'ouvrir. La respiration de Thérèse devenait calme. Parfois, elle prononçait des mots confus, se plaignait, criait : " Non! non! " se tournait du côté gauche où n'était pas la veilleuse.

Anna perçut un léger coup de sonnette à la porte de l'escalier de service. Lui, bien sûr! et elle se leva, sans que Thérèse fît un soupir, traversa le vestibule sur la pointe des pieds, parvint à la cuisine sans avoir été rappelée, tira le verrou, vit ce grand type qui occupait toute l'entrée, l'attira dans la petite cuisine.

— Non, dit-elle à voix basse. N'allume pas.

Elle lui chuchotait des explications : mais sans répondre il lui ferma la bouche.

Ils entendirent dans la salle à manger le bruit d'une chaise renversée. Quand la porte de la cui-

sine s'ouvrit, leurs yeux habitués à la nuit virent
ce maigre fantôme immobile. Thérèse reconnut
une voix d'homme :

— Tu es sûre qu'elle n'est pas armée?

Elle voulut crier : " Ne me tuez pas... " mais
ne put proférer aucun son et se laissa glisser sur le
carreau.

Elle rouvrit les yeux, assise dans son lit, soutenue par les oreillers. Elle ne posa aucune question à Anna, ni ne fit allusion à l'homme qu'elle
avait surpris et qui avait dû aider à la transporter
jusqu'à sa chambre. Anna comprit qu'elle était
maintenant, pour sa maîtresse, de l'autre côté de
la barricade, confondue avec ses pires ennemis; à
peine en obtint-elle quelques réponses brèves :
" Oui, je me sens mieux... Je crois que je vais
dormir... Vous pouvez rester sur la chaise
longue... "

La malade se tendait dans un douloureux effort
pour se tenir éveillée, épiant les moindres bruits.
Demain, elle se lèverait dès l'aube, irait tout droit
au commissariat. Ce n'était pas trop de toute cette
nuit pour mettre de l'ordre dans son histoire.
Mais on ne la croirait pas... Intolérable impuissance! Elle avait toujours vécu seule sans se
douter de ce qu'est la solitude. On parle de la solitude, mais on ne la connaît pas. Aucune chance

que ses paroles parviennent jusqu'au commissaire : elle les verrait tomber comme des oiseaux
morts avant d'avoir atteint leur but. Aucune
autre issue que de rester au gîte. C'était par l'escalier de service que l'ennemi y pénétrait. De ce
côté-là surtout il fallait veiller.

Thérèse ne doutait pas d'être le point de mire,
au centre d'un complot immense et secret... Comment aurait-elle su qu'il n'y avait pas, à cette
heure, dans le monde entier, une seule pensée qui
lui fût dédiée, qu'il n'existait pas une créature
humaine, durant cette nuit, pour se soucier de
Thérèse Desqueyroux? Rien qui la concernât...
Rien : sauf une lettre qui avait été écrite à cinq
heures, mise à la poste rue de Rennes, et qui maintenant était emportée vers Bordeaux. Une lettre
adressée à sa fille : *Mademoiselle Marie Desqueyroux,
Saint-Clair, Gironde*. Adresse tracée d'une écriture
plus ferme que d'habitude : Georges Filhot avait
barré le *t* de Saint-Clair, et souligné *Gironde*. Il
avait jeté cette enveloppe à la boîte dans un sentiment de bonheur et de délivrance. Chaque phrase
avait été revue et corrigée par Mondoux. Il ne
lui restait plus maintenant qu'à se boucher les
oreilles pour ne pas entendre crier Marie. Rien de
pire que la pitié dans ces sortes d'histoires. Comme
disait Mondoux, les plus mauvais bourreaux sont
ceux qui ont bon cœur, et sous prétexte d'atten-

drissement donnent douze coups de hache lorsqu'un seul suffit. A ce point de vue, la dernière
phrase, tout entière de Mondoux, semblait par-
faite à Georges Filhot : " Je vous supplie de ne
pas me répondre. En tout cas, j'ai pris dans votre
intérêt l'engagement que rien ne me ferait plus
rompre le silence : aucune supplication de votre
part, aucune menace. Encore une fois, ne m'ac-
cusez pas de dureté : c'est lorsque j'entretenais
une espérance qu'il m'était impossible de combler,
que j'étais un misérable, et c'est de cela que je
vous demande pardon. Oubliez-moi. Je joins à ma
lettre ce mot de votre mère, où vous verrez qu'elle
ne me considérait pas comme engagé envers
vous. "

## X

Le lendemain vers une heure, cette lettre parvint à Saint-Clair et fut remise à Marie. La jeune
fille était seule, assise dans la salle à manger, les
épaules couvertes de châles. Un coup d'œil sur
l'écriture chérie, et elle crut défaillir de joie. Plus
besoin de dissimuler : Bernard Desqueyroux
avait rejoint sa vieille mère à Argelouse pour la
mise à mort du cochon.

Marie mangeait en regardant l'enveloppe qu'elle
ouvrirait tout à l'heure dans sa chambre, après
avoir donné un tour de clef. Ce jour de novembre
rayonnait d'un tiède soleil; le bourg était sonore;
les scieries chantaient dans le vent d'Est qui sentait la résine et l'écorce arrachée. Signe de beau
temps : on entendait le petit train des chemins de
fer économiques brinquebaler sur sa voie étroite.
La vie était pleine de bonheur.

Marie tourna donc la clef et, certaine d'être
seule, appuya ses lèvres sur l'enveloppe que
Georges avait touchée, l'ouvrit, aperçut l'écri-

ture de sa mère et tout de suite y vit un présage
effrayant. Elle la parcourut d'abord, puis lut d'un
trait la lettre de Georges, — si vite que, sa lecture
achevée, dans le doux après-midi elle entendait
encore, au fond des pins, s'éloigner le cahotement
des vieux wagons... " Je joins à ma lettre ce mot de
votre mère. Vous y verrez qu'elle ne me considérait pas comme engagé envers vous... "

Pas une seconde, Marie n'arrêta sa pensée aux
raisons que Georges pouvait avoir de provoquer
cette rupture. Elle obéit à son instinct de petite
fille qui était de simplifier, de chercher d'abord le
coupable, de fixer sa haine sur un seul être qui ne
fût pas celui qu'elle chérissait. " Elle m'a trahie.
Dire que je me suis confiée à cette misérable!
Idiote que je suis... " Des soupçons prenaient
forme soudain : que n'avait-elle dû raconter à
Georges? Et pourquoi? Par jalousie? par ven-
geance? Mais elle ne connaissait pas Marie! Si la
jeune fille était encore là, debout, bien vivante,
les joues en feu, si le coup ne l'avait pas abattue,
c'était qu'elle ne croyait pas à son malheur; elle
ferait le nécessaire; on peut toujours reprendre
un garçon; elle savait comment reprendre celui-
là... Ce ne serait pas la première fois ni la dernière...
L'autobus partait dans dix minutes pour Bordeaux.
Le train de Paris est à cinq heures; on débarque à
minuit à Orsay. Elle télégraphierait de la gare à son

père. C'eût été intolérable de ne pas agir; mais elle avait à peine le temps de prendre sa trousse.

Les domestiques ne la virent pas sortir. Presque personne dans l'autobus. Non, elle n'était pas désespérée. La haine fixait la surabondance de sa passion. Avant même d'imaginer la scène avec Georges, et de penser à ce qu'il faudrait dire d'abord, elle se représentait son entrée rue du Bac, ce soir, sa mère criminelle surprise dans son premier sommeil. Impossible d'aller, dès minuit, à l'*Hôtel du Chemin de Fer de l'Ouest*. Elle comptait y courir au lever du jour, éveiller Georges. Ah! ce ne lui serait qu'un jeu... Elle voulait être sûre de son pouvoir. La nuit serait longue, mais sa mère l'aiderait à tuer le temps. Elle tournait contre Thérèse cette même rage furibonde qui lui venait d'elle, et que chez Marie aucun esprit critique ne balançait. Il faudrait tout de même, songeait-elle, garder son sang-froid, lui tirer les vers du nez, peut-être obtenir qu'elle écrivît à Georges une lettre de rétractation. Enfin, ce serait à voir...

Ainsi, tandis que Thérèse assise dans son lit, depuis la veille, les yeux ouverts, feignait d'être paisible pour se débarrasser d'Anna dont la présence maintenant lui faisait peur et horreur, cet orage fonçait sur elle du fond de ses Landes. Aussi méfiante que fût devenue la malheureuse, l'heure était passée, pour ce jour-là, croyait-elle, des offensives et des brusques attaques. Anna avait dû rejoindre, dans sa chambre du septième, l'homme inconnu d'hier soir... L'appartement était vide, toutes portes verrouillées. Dans cette sorte d'armistice que lui assurait la nuit, Thérèse oubliait un instant ses persécuteurs; elle franchissait le cordon invisible de l'armée ennemie, retrouvait ses humbles souffrances d'autrefois, se rappelait le dernier coup reçu avant la découverte de l'épouvantable complot... Cette phrase de Georges lui revenait, répétée par Mondoux : " Surtout qu'elle s'en aille! que je ne la revoie pas! " Lui, il avait dit cela, de cette même voix qui avait prononcé, quelques heures plus tôt, des paroles si tendres... Ah! qu'il soit tout de même béni pour ces quelques jours d'espérance, pour ces courts instants d'éblouissement et de certitude! Même maintenant, Thérèse retrouve encore cette goutte d'eau, fait le geste de rapprocher ses paumes de ses lèvres. En somme ils n'ont rien fait de mal; elle ne pense à propos de lui rien de mal, mais rêve qu'elle appuie contre cette jeune épaule sa pauvre tête perdue... Ah! l'ennemi n'a pas été long à profiter de ces quelques secondes d'inattention. Un coup de sonnette formidable. Elle croit avoir rêvé, prend sa tête à deux mains. Un second coup éclate, insistant, celui-là, furieux.

Thérèse s'est levée, a allumé le ustre de l'entrée ; elle s'appuie au mur un instant (elle n'est nourrie que de thé et de biscuits).

— Qui est là ?

— C'est moi... Marie.

Marie ! C'était donc elle qui porterait le premier coup. Thérèse ne peut pas s'éloigner du mur. Elle se rapproche péniblement de la porte, et se remémore ce qu'elle a décidé : se laisser faire en silence, ne pas tenter le moindre geste de préservation.

— Entre, Marie, entre, mon enfant.

Thérèse était debout sous le lustre. Marie s'arrêta, la bouche ouverte, devant ce spectre.

— Viens dans le salon, ma chérie. Je ne puis demeurer longtemps debout.

Marie s'était ressaisie et se répétait : " Quelle mise en scène ! " Elle l'avait vue en quelques jours si souvent changer d'aspect ! Cela faisait partie de ses ruses. Il lui suffisait de rejeter ses quatre cheveux.

— Tu arrives bien tard !

— Par le train de minuit.

Elle croyait que sa mère lui poserait des questions. Mais Thérèse la regardait, sans plus rien dire, dans l'attente du coup. La fixité de ses yeux était insoutenable. Un truc encore : cette façon de dévisager les gens.

— Vous savez pourquoi je suis venue ?

Thérèse inclina la tête.

— J'ai les réflexes rapides, comme vous voyez. Heureusement... Mais pourquoi m'avoir fait ça?

Thérèse soupira :

— J'ai fait tant de choses! De quoi veux-tu parler?

— Vous le devinez? Non? Cette lettre à Georges datée d'avant-hier! Hein! Ce'a vous déconcerte tout de même! Vous ne pensiez pas qu'on me livrerait si tôt la preuve de votre trahison!...

— Rien ne m'étonne : je sais qu'ils on des moyens puissants. Ils ont fait plus difficile que cela. Tu en verras bien d'autres.

Elle parle d'un ton calme, avec un air de détachement qui agit sur Marie, bien que la petite s'efforce de réveiller sa colère : tout de même, songe-t-elle, quelle comédienne!

— De quoi es-tu chargée, mon enfant? Oui, enfin... quelle est ta mission? Il vaut mieux jouer cartes sur table avec moi. Je ne résisterai pas, j'entrerai dans votre jeu pourvu que les choses aillent vite... Je répondrai ce qu'on voudra que je réponde. Je signerai toutes les déclarations que l'on voudra. C'est inutile de ruser...

Marie furieuse l'interrompt :

— Vous m'avez toujours prise pour une idiote. Mais vous me croyez plus bête que je ne suis.

Commencez par m'expliquer pourquoi vous avez
écrit cette lettre?

— Je t'assure, mon enfant, il vaut mieux que
je réponde au commissaire de police, ou au juge
d'instruction.

— Vous vous payez ma tête! vous...

Mais Marie s'interrompt au milieu d'un mot.
Non! cela ne peut faire partie d'un rôle, cet
affreux tremblement qui secoue sa mère de la base
au faîte, ni cette unique larme qui coule le long du
nez et qu'elle n'essuie pas, ni ce regard d'épou-
vante, et cette échine creuse de bête rendue...

— Tu ne me comprendrais pas; tu ne croirais
pas ce que je sais, ce que je suis seule à savoir. Toi,
tu es un instrument, tu obéis à des puissances que
tu ignores. Ils voulaient que Georges se tue, pour
porter ce suicide à mon compte. Moi toute seule,
j'ai empêché le meurtre. J'étais chargée de le
commettre; il devait mourir parce qu'il m'avait
connue; mais j'ai dérangé le plan. Comprends-tu?
j'ai dérangé le plan. Cela, il faudra tout de même
le dire au moment du règlement des comptes...
Oui, je paierai, je ne me défendrai pas... Mais lui,
bien loin de l'assassiner comme j'en étais chargée,
on ne voudra pas croire que je l'ai sauvé. D'ailleurs,
à quoi bon crier dans ce désert? A qui le crier du
fond de ce tombeau? Tu es là, et tu es à des milliers de lieues.

Elle poussa un gémissement et se tourna contre le mur. Qu'était-ce donc que cette douleur? Marie ne sentait plus sa propre blessure. Elle aurait voulu tenter un geste, comme d'envelopper de couvertures sa mère en flammes... " J'ai empêché ce suicide! " avait-elle dit. Si c'était vrai pourtant? Que de fois Marie s'était-elle penchée sur cet abîme de tristesse d'où Georges remontait si rarement jusqu'à elle!

Dans le silence de l'appartement, elle entendait pleurer sa mère, contre le mur, la tête dans son bras replié, non pas à la manière des grandes personnes : des reniflements de petite fille punie; et ce fut bien comme une enfant que Marie, l'ayant soulevée, la déposa sur son lit. Elle lui disait :

— Personne ne vous veut du mal, maman; je suis venue de Saint-Clair pour veiller sur vous. On ne peut rien contre vous, tant que je serai là.

— Tu ne sais pas ce que je sais. Un homme est venu hier, il a demandé si j'étais armée, il s'est caché cette nuit dans la chambre d'Anna. C'est un type de la police; ils ne sont pas pressés, ils finiront bien par m'avoir; ils savent qu'il n'y a pas d'autre issue pour moi.

— Rien n'arrivera cette nuit : je veille. Dormez... Voyez : je laisse ma main sur votre front.

— Ils t'ont dit de gagner ma confiance? Je

sais tout. Je ne suis pas dupe... Mais c'est doux tout de même que tu sois là...

Que cette nuit ressemblait peu à ce qu'avait attendu la jeune fille! Dès qu'elle écartait sa main engourdie, un gémissement de sa mère l'obligeait à la lui imposer encore sur le front. Elle avait froid. C'était Paris de nouveau, ses mornes roulements dans la nuit d'automne, ces halètements d'une locomotive vers les Halles. Et Georges dormait dans une de ces maisons, indifférent, inaccessible. Elle n'avait jamais compté pour lui, bien qu'elle eût fait semblant de le croire. Lui seul et pas un autre, ce grand type qui louchait. Lui seul et pas un autre. Elle ne lui reprochait rien, s'étant donnée sans espérance. " Tu peux m'abandonner, tu ne peux faire que je ne sois à toi... " Elle pleurait, et ce n'était pas des larmes de colère ni de désespoir. Étendue tout habillée auprès de sa mère, elle l'entendait respirer, prononcer des paroles incohérentes... Mais, comme Marie avait dix-huit ans, elle s'endormit.

Thérèse sentait auprès d'elle ce corps non sans une profonde joie. Bien qu'elle crût Marie de connivence avec ses ennemis (mais instrument plutôt que complice), elle se laissa glisser elle aussi au sommeil. Un bruit de voix l'éveilla. C'était déjà le jour. Marie n'était plus étendue à ses côtés. C'était elle qui dans le salon chuchotait avec Anna.

Ah! l'autre avait eu vite fait de lui mettre le grappin! Thérèse tendait l'oreille.

— Impossible de faire venir le médecin, disait Anna. Elle croit qu'il est de la police et qu'il a reçu mission de la faire enfermer. Elle menace de se jeter par la fenêtre s'il entre dans sa chambre. Puisqu'elle a confiance en vous, ne la quittez pas, mademoiselle, remettez cette course...

— Pour rien au monde je ne la remettrai. Peut-être ne sera-ce pas long... Je serai rentrée avant la fin de la matinée. Non! inutile d'insister...

Il n'y avait pas que sa mère au monde!

Qui allait-elle voir? Par qui était-elle attendue? se demandait Thérèse aux écoutes. " Quelqu'un dont elle a peur sans doute, qui a barre sur elle... Mais elle ne saura pas dissimuler. Dès ton retour, je verrai bien ce que tu as dans le ventre. " Elle entendit le bruit de la porte et les pas rapides et décroissants de Marie dans l'escalier. Lorsqu'Anna entra, Thérèse fit semblant d'être endormie.

Marie marcha si vite jusqu'au boulevard Montparnasse que, malgré la brume froide, elle y arriva en nage. Sous une porte, elle refit en hâte sa figure. Personne encore au bureau de l'hôtel. Le garçon lavait l'entrée. Il dérangea le plan de Marie qui avait résolu de monter tout droit jusqu'à la chambre de Georges et de le surprendre dans son sommeil.

— Hé! là-bas! la petite dame!

Marie, déjà engagée dans l'escalier, lui cria qu'elle était attendue.

— Et par qui vous êtes attendue? Vous dites par M. Filhot? Il s'est bien moqué de vous, M. Filhot!

Marie, penchée sur la rampe, voyait, levés vers elle, ces yeux hilares bordés de rouge.

— Oui... parce qu'il a réglé sa chambre hier à midi, et il est parti sans laisser d'adresse. Il a dit qu'on envoie son courrier chez M. Mondoux.

Il aurait été plus avare de renseignements si l'expression de Marie ne l'avait amusé. Mais ça valait le coup de voir la tête qu'elle allait faire, la poule.

— Oui, c'est une dame qui est venue le prendre en auto pour l'amener dans son patelin, aux environs de Paris, Mme Garcin... On l'a vue souvent ici. Elle n'a pas peur d'attendre... Vous ne la connaissez pas? Une belle jeune dame, et généreuse!

Marie connaissait de nom Mme Garcin. Elle savait qu'elle était dans la vie de Georges et en plaisantait avec lui : " A Paris, je vous permets Mme Garcin! " Il était entendu que Georges ne l'aimait pas. Mais voilà! Après avoir écrit à Marie

cette lettre de rupture, il était tout de même parti
chez cette femme. Le domestique ne trouvait plus
si drôle l'aspect de la belle fille qui semblait se
réduire sous ses yeux; son visage devenait mince;
elle s'accrochait à la rampe; ça allait faire une
histoire. Il monta quelques marches et lui prit le
bras sans qu'elle se défendît. Elle regardait droit
devant elle. S'il n'y avait pas eu tout ce turbin,
c'eût été le moment de rire. Et après tout, il ne
fallait pas si longtemps...

— Si vous voulez souffler un brin, il y a une
belle petite chambre au sixième.

Et il la regardait de tout près. Marie ne comprit
pas ce qu'il voulait, l'écarta doucement, gagna la
rue, fit signe à un taxi.

— C'est gentil, vous avez été vite! dit Anna en
lui ouvrant la porte.

Le vestibule était trop obscur pour qu'elle
remarquât les traits altérés de la jeune fille. Marie
jeta son béret et son manteau sur la chaise basse et
pénétra chez sa mère qui faisait semblant de
dormir. Mais, entre les cils, elle épiait Marie. Qui
avait-elle vu? De quelle mission avait-on chargé
la pauvre enfant, pour que tout son être exprimât
une telle angoisse? Thérèse ne put feindre le sommeil plus longtemps, car tout son corps se mit à
trembler. En vain serrait-elle les mâchoires.

— Vous avez froid, maman?

Marie, assise au bord du lit, l'avait prise dans ses bras et elle essayait de lui sourire.

— Je n'ai pas froid, j'ai peur.

Et comme la petite lui demandait doucement : " Peur de moi? " Thérèse répondit qu'elle aurait dû la redouter comme les autres :

— Mais c'est plus fort que moi : je ne puis croire que tu me veuilles du mal... Eh quoi! ma chérie, tu pleures?

Marie, d'un seul coup, s'était abandonnée aux larmes et par là, à son insu, secourait sa mère, la détournait de sa propre angoisse. Et c'était la malade qui, maintenant, se faisait secourable : " Va! va! pleure... ", répétait-elle; et elle berçait Marie contre son épaule d'un geste de mère qu'elle n'avait peut-être jamais eu lorsque c'était une petite enfant.

— Maman, qu'est-ce que nous avons fait pour tant souffrir?

— Toi, rien. Mais moi...

— Maman, il est parti sans laisser d'adresse... avec une autre... C'est fini!

Elle se laissait caresser les cheveux, elle essuyait ses yeux à l'oreiller.

— Non, mon enfant, non!

— Pourquoi dites-vous non?

— Il reviendra. Tu ne l'as pas perdu.

Et comme si elle avait lu dans le cœur de Marie, elle répondit, de sa voix habituelle, à ce que la jeune fille pensait :

— Non, je ne suis pas folle. Jamais je ne l'ai moins été. Tu te souviendras de ce que je t'ai dit, au jour de ton bonheur. Tu te rappelleras ce sombre matin.

Il n'en faut pas beaucoup à l'espérance pour reprendre dans un jeune cœur. C'était absurde, et pourtant Marie ne pleurait plus et se serrait contre sa mère. Ainsi demeurèrent-elles un long moment.

Marie lui offrit de préparer elle-même le café et de faire griller du pain. Lorsqu'elles eurent mangé, Thérèse consentit à se baigner. Elle n'entendit pas la sonnette de l'escalier de service et ne sut pas qu'un télégramme venait d'arriver à l'adresse de Marie. Son père lui ordonnait de rentrer le soir même : " *Exige ton retour par premier train.* " Il était évidemment hors de lui. La jeune fille re oignit Thérèse au salon, et la retrouva abattue et tremblante. Elle disait qu'elle s'était crue sauvée, qu'elle n'aurait plus maintenant le courage d'être livrée à Anna. Anna était la maîtresse d'un policier. On les payait cher, elle et la concierge. Depuis l'arrivée de Marie, elles dissimulaient. Marie leur faisait peur. Tant que Marie serait là, rien ne pouvait arriver. La petite dérangeait le jeu des autres. Ils essayaient de se servir d'elle, mais n'avaient pas osé se démasquer. Et voilà qu'elle parlait de l'abandonner!

Elle geignait; il fallait que Marie la retînt de se mettre à genoux. Un désespoir qui, parfois, tournait au caprice d'enfant : elle ne voulait pas que Marie partît. Elle ne la laisserait pas partir. Et comme Marie lui assurait qu'elle reviendrait, qu'il fallait seulement qu'elle allât à Saint-Clair pour expliquer la situation :

— Mais ils la connaissent mieux que toi, malheureuse enfant! Tu ne partiras pas.

— Il le faudra, pauvre maman.

— Eh bien! s'écria-t-elle soudain (et c'était une phrase qu'elle avait dû répéter souvent, petite fille, et qui lui remontait aux lèvres, du fond des années), eh bien! puisque c'est ainsi, je te suivrai partout.

— Vous n'y songez pas!

Mais Thérèse tournait dans la pièce et d'un ton puéril ressassait : " Je te suivrai partout! "

— Pourquoi pas jusqu'à Saint-Clair? Je m'y sentirais moins en danger qu'ici, puisque tu serais là. Et là-bas, je suis Mme Bernard Desqueyroux. Ce ne sont pas les gendarmes de Saint-Clair qui oseraient pénétrer chez les Desqueyroux. Il n'existe pas de police pour les gens de notre famille. On l'a bien vu, il y a quinze ans... Et puis,

ajouta-t-elle, en baissant la voix, d'un air d'exci-
tation et de mystère, si je pars, toutes les combinai-
sons d'Anna vont s'écrouler; et qu'est-ce que ton
père pourra dire? Il ne me jettera pas dehors, dans
l'état où je suis.

Cette dernière phrase fut prononcée de sa voix
normale comme si, tout à coup, et pour quelques
secondes, Thérèse s'était vue du dehors, s'était
jugée.

Marie répéta : " Vous n'y pensez pas? " et prit
à deux mains le visage de sa mère, le secoua doucement comme pour l'éveiller d'un songe.

— Revenir dans cette maison après tant d'années, maman, y rentrer de votre plein gré, vous
qui avez failli y périr d'étouffement... et qui vous
êtes rendue libre, — à quel prix! ajouta-t-elle à
mi-voix.

— A quel prix? répéta Thérèse, l'air hagard...
(et sans rire) : Je ne lui en veux plus, à ton père,
tu sais? Il ne m'irritera plus. Et puis la maison est
si grande! Il y a tant de chambres inhabitées! Je
serai, au fond de l'une d'elles, perdue, oubliée.
D'ailleurs, quand ils ne seront plus sur ma piste,
je pourrai repartir : ce n'est plus une prison, maintenant.

Le projet ne paraissait plus si fou à Marie. Elle
qui n'osait envisager la réception que lui réser-
vait son père, après cette seconde fugue, n'aurait

pas à chercher d'autres excuses, et déjà sa défense
prenait forme : une lettre lui avait appris la maladie
de sa mère, elle était partie par le piemier train, et
puisqu'on la rappelait à Saint-Clair et qu'elle ne
pouvait laisser la malade sans secours, elle la ramenait. C'était à la famille de prendre une décision...

— Voulez-vous partir avec moi, maman?

— Dès ce soir? En cachette bien entendu!
Demain matin, Anna frappera à la porte : plus
personne!

Thérèse riait, puis devenait grave tout à coup
et interrogeait Marie d'un regard suppliant : elle
ne pouvait croire que ce fût possible, et commença d'être rassurée lorsqu'elle entendit la jeune
fille téléphoner une dépêche pour Saint-Clair :

— Pas si fort! suppliait-elle, Anna va entendre.

Marie eut beaucoup de peine à avertir la servante, sans que Thérèse s'en aperçut. Lorsque la
dernière valise fut bouclée, la malade recommença
d'être agitée : elle craignait d'être cueillie à la
sortie.

Dans le train, en face de sa mère endormie,
Marie retrouva la pensée de Georges. Elle lui
écrirait demain. L'important était de jeter un pont
et que tout ne fût pas fini entre eux. Il changeait
tellement d'un jour à l'autre... Si elle l'avait revu,
elle l'aurait repris. S'il avait été là ce matin, s'il

s'était réveillé dans ses bras... Elle pleurait dans
le compartiment obscur, sans avoir besoin de se
cacher, mais sentit tout à coup la main de sa mère
sur sa figure. La voix impatiente de Thérèse
s'éleva :

— Puisque je t'ai dit qu'il reviendrait! Et
même, ajouta-t-elle, avec son rire d'autrefois, à
certains jours tu auras assez de lui. Ce sera un
homme comme un autre, un gros homme ordinaire.

## XI

Le temps qui a raison de tout amour use plus lentement la haine; mais il en vient à bout aussi. Sur le quai de la gare de Saint-Clair, Thérèse oublie de répondre à cet homme chauve. C'est Bernard, son époux, qu'elle n'aurait peut-être pas reconnu dans une rue de Paris. Il est moins corpulent qu'autrefois. Un tricot marron moule son estomac et son ventre de buveur d'apéritifs. Il n'a pas appris à nouer sa cravate de chasse. Et lui considère avec ennui et timidité cette folle dont il va bien falloir prendre la charge. Il ne voit pas du tout qu'il puisse agir autrement. Pour une tuile, c'est une tuile. Et comme le répète sa mère, on a beau dire tout ce qu'on voudra contre le divorce, c'est tout de même raide qu'au bout de tant d'années de séparation, cette femme lui tombe sur les bras. Mais enfin, il y a là une question de principe... D'ailleurs, la loi est la loi.

— Attention, papa, crie Marie, soutenez-la jusqu'à l'auto.

Bernard au volant se réjouissait de n'avoir rien

eu à dire. S'expliquer, et même simplement
s'exprimer, lui faisait de plus en plus horreur.
Paresse ou impuissance, c'était devenu chez lui
une passion. Il n'hésitait pas à allonger de cinquante kilomètres une course en auto, pour n'être
de retour qu'après le départ des visites. La peur
de rencontrer le curé ou l'instituteur sur la place
réglait ses sorties. Il était content que Thérèse fût
là sans qu'il ait eu à ouvrir la bouche.

On avait fait attendre la malade dans le petit
salon : sa chambre n'était pas prête. De la pièce
à côté, lui venait la rumeur d'une discussion à
voix basse, sans qu'elle éprouvât aucune inquiétude : l'anéantissement avait eu raison de son
angoisse. Il ne lui restait rien à faire que de subir
leur verdict; elle obéirait à ce qu'on lui ordonne-
rait, et ce ne pouvait rien être d'autre que de se
coucher et de fermer les yeux; elle n'avait plus
qu'à suivre en aveugle une volonté assez puissante pour la ramener, après quinze années, dans
ce petit salon où son crime fut conçu. La tenture
des murs et les rideaux avaient été changés, les
meubles recouverts d'une autre étoffe. Mais la
place, obscurcie de platanes énormes, dispensait la
même ombre. Aux mêmes endroits, Thérèse
retrouvait les affreux objets éternels, tous ces
muets témoins de sa haine.

On l'avait hissée jusqu'à cette chambre de
l'ouest qui avait toujours été une chambre à
donner et où elle n'avait jamais vécu. Rien n'y
pouvait lui rappeler les heures d'autrefois, sauf
pourtant un certain après-midi... Elle se souvient :
la famille était installée à Argelouse; Thérèse avait
ses raisons de craindre qu'on connût sa présence
à Saint-Clair, ce jour-là; elle croit se voir encore,
dissimulée au fond de cette chambre ténébreuse,
pendant qu'une femme de ménage rangeait des
draps dans la lingerie voisine.

Le soir de son arrivée, elle eut dans les bras de
Marie une première crise d'étouffement qu'une
piqûre conjura, et une autre plus violente pendant
la nuit, où elle faillit passer. A partir de ce moment,
toute complication fut abolie aussi bien pour
Thérèse que pour les Desqueyroux. Elle était sûre
de n'avoir plus rien à craindre : la mort se dressait
entre cette femme exténuée et la meute qu'elle
imaginait sur sa trace. Du côté Desqueyroux, le
principal obstacle avait été abattu par l'état désespéré de Thérèse : sa belle-mère, réfugiée à Argelouse, et qui avait averti Bernard qu'elle ne met-
trait plus les pieds dans la maison de Saint-Clair
" tant que durerait le séjour du monstre ",
n'avait pas reparu, mais avait consenti à désar-
mer : " Laissons passer, avait-elle écrit à Bernard, laissons passer la justice de Dieu. " Elle

disait aussi :" Notre petite Marie est admirable. "

La jeune fille assumait tout le service de Thérèse : on avait recours le moins possible aux domestiques pour éviter les ragots. " Elle nous a déjà
fait assez de tort... " La malade s'abandonnait à
ses soins avec une confiance qui dura jusqu'aux
approches de Noël, mais qui fléchit vers ce temps-
là. Marie n'était plus la même; elle en avait fini
avec cette rage de travailler à l'aiguille; elle traî-
nait dans la chambre, collait son front aux vitres,
ne prêtait plus à sa mère qu'une attention toute
matérielle. " Elle a reçu des ordres, songeait Thérèse. Elle se défend contre quelque influence.
Nous sommes débusquées. Pourtant elle ne sort
guère... Mais ils ont tant de moyens pour faire
parvenir un message chiffré... On agit sur elle du
dehors. En tout cas, ils auront beau faire, elle ne
m'empoisonnera pas... Mais comme elle est ma
fille, ils se forgent peut-être des idées... " Tel était
le sens des paroles qu'elle marmonnait pour elle
seule.

Un matin morne où la pluie fouettait 'es vitres,
Thérèse ne douta plus d'être trahie lorsque Marie,
couverte d'un ciré bleu, l'avertit qu'elle allait
sortir et s'informa si elle n'avait besoin de rien.
O retour éternel! la même question que la solitaire posait autrefois à Anna, les soirs où la ser-

vante avait revêtu son tailleur et chaussé les souliers de faux lézard : " Vous sortez, ma petite?
vous n'avez pas peur de la pluie?... " elle l'adressait maintenant à Marie, avec cette même certitude que rien au monde n'empêcherait la jeune
fille de courir où elle était attendue. Et c'était vrai
qu'en dépit de ses paroles anodines (elle avait
besoin d'exercice... on sort à Paris par tous les
temps : pourquoi ne pas le faire à la campagne,
surtout ici où le sable boit la pluie?) l'expression
féroce de Marie signifiait : " Je te passerais plutôt
sur le corps... "

Les vacances de Noël avaient ramené, l'avant-
veille au soir, Georges Filhot à Saint-Clair. La
cuisinière des Filhot en avait averti le boucher.
Marie n'avait pu résister à la tentation de lui
écrire : " Pourquoi ne pas nous dire adieu? Je
serai demain vers dix heures à Silhet, la métairie
abandonnée... "

Il n'y viendrait pas. Elle se répétait qu'il n'y
viendrait pas. Marie se retourna et de la porte
envoya un baiser à sa mère qui, du fond de ses
oreillers, la suivait des yeux, avec quel regard
d'angoisse! Mais on s'habitue à la souffrance des
êtres que l'on soigne.

En traversant la place, elle se répétait l'affreuse
promesse de Georges : " J'ai pris l'engagement
que rien ne me ferait plus rompre le silence :

aucune supplication, aucune menace. " Même s'il se résignait à venir au rendez-vous, quelle apparence qu'il en pût rien sortir d'heureux pour Marie? Et pourtant, elle était pleine d'espoir : de cet espoir que sa mère entretenait chaque jour. Plusieurs fois, Thérèse avait fait allusion à ses petits-enfants qu'elle ne connaîtrait pas. La veille encore, elle avait dit :

— Tu apprends ton mét er de garde-malade. Tu apprends la patience. Il faudra être très patiente avec lui.

N'était-ce pas une démente qui parlait ainsi? Bien que Marie le sût, elle se remémorait cette parole, ce matin-là, en quittant la route d'Argelouse défoncée par les charrettes, pour suivre une piste de sable à peine durcie par la pluie. Les chênes n'avaient pas perdu leurs feuilles; il faisait doux; dans les Landes, indéfiniment l'hiver prolonge l'automne. La pluie resserrait autour de la jeune fille un monde ouaté, qui avait l'odeur du bois pourri, et des fougères mortes. Entre les pins, elle remarqua d'abord que le parc à moutons était ouvert où naguère ils abritaient leurs chevaux. La cheminée fumait; quelqu'un y brûlait des copeaux et des " pignes ". Peut-être était-ce le berger. Mieux valait que ce fût le berger...

Elle entra : la fumée lui piquait les yeux. Georges était assis sur un tas de branches, les ambes ten-

dues vers la flamme, et se leva d'un bond. Elle vit
qu'il avait maigri et que, comme aux jours de
grande fatigue, il louchait plus que d'habitude. Il
avait mis ses lunettes qu'autrefois elle lui défendait
de porter en sa présence; elle le trouvait laid avec
ses lunettes. Il n'avait même pas pris la peine de
se raser. C'était lui, ce grand garçon ardent et
faible. Et elle, pleine de force, avec la figure
mouillée par la pluie, les joues empourprées, les
yeux brûlants... Elle portait sous son tailleur des
bottes vernies arrêtées à mi-jambes. Elle le remercia
d'être venu. Il lui dit de s'approcher du foyer
et se poussa pour lui faire place.

Les inscriptions, les initiales et les dessins char-
bonnés sur les murs étaient aussi nets que l'an
dernier. Que c'eût été simple si elle avait voulu!
Elle n'aurait eu qu'à lui prendre la main... Mais
comprenant d'abord pourquoi il était venu, elle
se leva :

— Je n'ai plus froid, dit-elle... Non, restez
assis. Cette lettre ne finissait rien entre nous. Je
ne voulais pas vous quitter sans un adieu. Ensuite,
je vous jure de vous laisser tranquille...

Il assura qu'il ne souhaitait pas qu'elle le
laissât tranquille; mais cette protestation ne
donnait à Marie aucune joie. Elle reconnaissait sa figure de ces moments-là, l'accent pay-
san qui lui revenait, ce souffle un peu court,

cette grosse lèvre inférieure trop rouge; et elle l'observait froidement, sans rien éprouver de son trouble, même avec un sentiment de répulsion. Pourtant il ne l'aimait pas et c'était elle que la passion étouffait et qui avait envie de mourir.

Il comprit que c'était " loupé " et n'insista pas. (Il n'insistait jamais.) Il s'en voulut d'être venu et se mit à siffler en regardant le feu.

— J'ai de nouveaux disques, dit-il, étonnants... C'est vrai! la musique et vous...

Et sans plus s'inquiéter de Marie, il se donnait à lui-même un concert " la! la! li! la! la! " Elle pensait à sa mère, dans la chambre de l'ouest aux vitres ruisselantes, à son regard terrifié. Elle posa une question au hasard pour in errompre ce sifflotement :

— Comment va votre ami Mondoux?

— Oh! c'est inouï! Croiriez-vous... mais c'est vrai, vous ne le connaissez pas. Il faudrait le connaître! Figurez-vous, tout à coup il a découvert les femmes. Il dit que c'est merveilleux et qu'on a tout ce qu'on veut. Pauvre Mondoux! C'est devenu une idée fixe... Si vous le connaissiez... Mais, Marie, pourquoi pleurez-vous? J'espérais que vous étiez devenue raisonnable...

Elle balbutia, dans les larmes (et elle mentait) :

— Je ne pleure pas à cause de vous.

— Ce n'est déjà plus moi qui vous cause du chagrin? J'aurais dû m'en douter.

Il rit avec effort.

— Je me suis beaucoup attaché à elle, dit Marie en essuyant ses yeux, oui, moi qui l'ai tant exécrée... Par moments, elle n'a plus sa tête. Et pourtant, c'est étrange, ça ne la diminue en rien. Mais elle n'ira plus loin; quelques mois peut-être... Une crise peut l'emporter à chaque instant.

Georges demanda :

— De qui parlez-vous?

Marie le regarda avec étonnement. Elle n'imaginait même pas qu'il pût être à Saint-Clair depuis vingt-quatre heures sans connaître la présence et la maladie de Thérèse Desqueyroux. Elle supposa que les Filhot s'étaient gardés de prononcer ce nom devant lui.

— J'ai dû ramener ma mère ici, dit-elle. C'était plus que de la neurasthénie... Depuis, elle a eu deux crises. Elle est perdue, ajouta-t-elle en sanglotant.

Sa mère n'était pas plus perdue ce jour-là que les jours précédents où Marie avait les yeux secs, mangeait avec appétit, lisait le journal, pensait à ce que serait sa vie après la mort de Thérèse. Elle s'essuya les yeux. Il ne fallait

pas ennuyer Georges qui, par convenance sans
doute, ne sifflait plus. " Je vous demande pardon... ", lui dit-elle. Il s'était rapproché du
foyer et tendait à la flamme ses deux mains en
écran. Il demanda sans tourner la tête :

— Croyez-vous qu'elle me reconnaîtrait?

— Oh! sans doute! Elle se fait des idées étranges, s'imagine que la police la recherche, mais
pour le reste elle a tout son bon sens; et à moins
qu'elle ne vous range parmi ses ennemis...

— C'est inimaginable, dit-il sourdement... Une
telle intelligence!... Mais cela n'importe plus
guère puisque vous dites qu'elle est perdue.
Vous êtes sûre qu'elle est perdue? demanda-t-il
d'un air de douleur.

Comme Marie le regardait, il se retourna
vers le feu.

— Le médecin ne croit pas qu'elle survive
à une nouvelle crise.

" Thérèse! " appela-t-il presque à voix basse.
Marie ne voyait pas son visage; elle s'aperçut
qu'il passait plusieurs fois sur ses yeux le revers
de sa main. Elle demanda :

— Vous étiez donc si liés? Je ne le savais pas.

— Peut-être l'ai-je vue trois ou quatre fois.
Mais il aurait suffi d'une rencontre...

Il se tut; puis Marie l'entendit murmurer :
" Le monde sans elle... " L'eau tombait goutte

à goutte du toit et s'amassait entre les carreaux disjoints. La houle des pins entourait la métairie abandonnée d'une lamentation infinie. Marie se sentait la tête froide, l'esprit attentif. Elle n'avait jamais vu ce garçon souffrir pour une autre créature que lui-même. Elle ne lui connaissait pas cette expression ardente. Avec elle, il paraissait mort; il avait le visage mort. On disait couramment de lui : " Je le trouve mort... " Et voici que, pour la première fois, il s'animait à ses yeux, il vivait.

Pourtant elle n'arrêtait pas sa pensée à une trahison de sa mère. Marie avait dix-sept ans : comment eût-elle pu imaginer que ce jeune homme avait ressenti un intérêt de cœur pour cette vieille femme folle? Car, en vérité, elle avait toujours été démente... Et soudain, la jeune fille déclara, d'une voix sèche :

— D'ailleurs, elle a toujours été folle. Nous l'avons toujours connue ainsi. C'est une déséquilibrée, — dangereuse, nous sommes payés pour le savoir. Après tout, c'est ce qui devait vous intéresser en elle, n'est-ce pas?

Il répondit d'un air de lassitude :

— Vous ne me comprenez pas... Vous ne m'avez jamais compris. Si je vous disais que je suis un type qui ne peut détourner de lui son attention...

— Ah! si! interrompit-elle en riant, je vous comprends! c'est bien vrai!

— Non, insista-t-il avec dédain, vous ne me comprenez pas. Vous ne savez pas ce que c'est qu'un homme qui doute à chaque instant de son identité... Ça a l'air idiot, c'est fou... Ce n'est pourtant pas ma faute si je sens cette désagrégation de chaque seconde... Eh bien! j'ai compris, la première fois que j'ai vu Thérèse...

— Thérèse! vous l'appelez Thérèse!

Et Marie de nouveau se mit à rire.

— J'ai compris, comment vous dire? qu'elle me pousserait à fond dans le sens de mon angoisse. Oui, dès ses premières paroles... Elle voyait en moi avec une lucidité merveilleuse; elle me définissait; je prenais corps enfin à mes propres yeux; j'existais tant qu'elle était là. Et, même séparés, il me suffisait de penser à elle... Mais maintenant...

Il prononça à mi-voix : " Thérèse morte! " et recouvrit sa figure de ses mains. Marie éprouvait un sentiment confus, d'irritation, de jalousie, comme lorsque Georges mettait un disque qu'elle trouvait assommant, alors qu'elle aurait préféré causer avec lui ou l'embrasser. Mais une douleur immense et confuse s'y ajoutait qu'elle ne démêlait pas encore.

— Tout de même, dit-elle sèchement, il ne

faut pas oublier... Dieu sait que je lui ai pardonné! mais enfin, elle n'en a pas moins commis...

Et comme Georges haussait les épaules, en protestant d'un ton agacé :

— Ah! non! vous n'allez pas reparler de cette vieille histoire!

— Mais, dites donc, cria-t-elle furieuse, il me semble que vous-même vous y attachiez de l'importance! Souvenez-vous de votre indignation parce que je n'avais pu obtenir de ma mère qu'elle m'expliquât les motifs de son acte... Vous ne vous rappelez pas?

— C'est vrai... je ne me rendais pas bien compte pourquoi je m'intéressais tellement à cette histoire d'empoisonnement. C'était parce que je... (il hésita devant un mot, lança un bref regard sur Marie), parce que je la vénérais, croyais-je, que je voulais en avoir le cœur net. Il m'était insupportable de soupçonner d'une telle horreur cet être extraordinaire. Du moins c'était cela que je m'imaginais éprouver... Mais il m'est si difficile de savoir ce que je ressens exactement! Rien de ce qu'en moi je peux définir avec des termes clairs n'est authentique. C'est après coup que je me suis rendu compte du but où je tendais. Oui, je protestais de ma foi en l'innocence de votre mère, je feignais de ne pas croire qu'elle eût pu commettre ce crime, mais c'était pour m'attirer la réponse dont j'avais besoin et qu'elle n'a pas manqué de m'assener. Elle disait que ce crime était un crime parmi beaucoup d'autres qu'elle commettait tous les jours, que nous commettons tous... Oui, Marie, vous aussi. Aux yeux du monde, seuls comptent les délits de droit commun, les attentats matériels... Ah! elle a eu vite fait de m'obliger à tirer du plus profond de ma vie une petite action hideuse, un minuscule scorpion choisi entre mille autres...

— Quel scorpion?

— Si je vous racontais cette histoire de collège, vous diriez : " Ce n'est que cela? mais ce n'est rien! " A quoi bon essayer de vous faire comprendre ce que je sais, ce que votre mère sait, elle aussi...

— C'est entendu! gronda Marie; moi, je suis une idiote. Je n'ignore pas de quel ton vous dites : " Quelle idiote! " Non, ne vous forcez pas pour protester...

Ah! elle n'avait aucun besoin de l'en prier. Il n'insistait plus; il en tombait d'accord avec elle : une idiote fermée à ce monde où il souffrait et où elle ne pourrait jamais le suivre. Du moins détenait-elle l'autre part que sa mère n'avait pas; elle songeait qu'il est tout de même beau d'avoir dix-sept ans, de pouvoir se blottir contre

un être aimé... Elle s'assit sur le tas de brandes;
et sa main caressait le front de Georges, ses tempes, ses joues mal rasées. Sans doute, la prenait-
il pour une petite fille avide. Il se trompait; ce
n'était pas cela qu'elle aurait voulu; mais que lui
restait-il d'autre? Elle aurait tout donné pour
être digne de le rejoindre là où sa mère avait
pénétré sans effort... Et d'ailleurs ne peut-on
à la fois comprendre un homme et être tenue
dans ses bras? Peut-être sa mère... Elle secoua
la tête avec horreur. Cette folle?... Folle? Elle
ne l'était pas encore à Paris, lorsque Georges
l'avait connue... Pauvre Marie! qu'allait-elle imaginer? Elle cacha sa figure entre l'épaule et le
cou du garçon, les bras noués étroitement autour
de lui, et demeura ainsi un assez long temps.
O repos! il semblait l'accueillir enfin; elle sentait
son souffle.

— Croyez-vous, demanda-t-il, qu'elle conşen-
tirait à me recevoir?

La jeune fille s'était écartée de lui avec violence.
Elle se leva, sans que Georges fît un mouvement
pour la retenir, alla vers la porte ouverte, but
longuement à ce doux fleuve de pluie et de
fumée. Elle se retourna enfin :

— Mais tout de suite si vous voulez, répon-
dit-elle d'un ton calme.

— Non, non, pas tout de suite.

— Tous les après-midi... Je serai toujours là pour vous introduire.

— Peut-être vaut-il mieux qu'on ne nous voie pas ensemble, dit Georges après un silence. Partez devant puisque vous êtes à pied.

Il était bien obligé de la regarder en face pour lui parler. Que lut-il sur ce visage, qui lui fit peur? Il dit hâtivement :

— Elle vous aimait, vous savez? Vous occupiez toutes ses pensées. Le souci de votre bonheur l'obsédait. Et même il faut que je vous le dise : je n'ai jamais existé à ses yeux qu'à cause de vous. Cela, je vous le jure. Mais vous le savez? ajouta-t-il. Vous le croyez, Marie?

— Ce qui est étrange, dit-elle en riant, c'est que vous sentiez le besoin de me rassurer. Ne trouvez-vous pas que c'est drôle?

Elle agita la main; il regarda la muraille de pluie se refermer sur elle et revint s'accroupir contre le tas de brandes.

## XII

Marie alla suspendre dans le cabinet de toilette son " ciré " ruisselant. Thérèse la suivait des yeux et déjà, à d'imperceptibles signes, découvrait que c'était une ennemie qui était entrée dans sa chambre : une ennemie mortelle. La maison était engourdie dans le silence pluvieux. Aucune sonnette ne marchait. Bernard Desqueyroux avait rejoint sa mère à Argelouse. Thérèse demanda : " Tu n'as pas été trop mouillée, ma chérie? " mais n'obtint aucune réponse.

— Tu n'as rencontré personne?

— Personne d'intéressant... Il faut prendre votre potion.

Le heurt de l'assiette sur le marbre de la commode, le flacon débouché, une cuiller remuée dans une tasse, c'est du fond des années que ce tintement remonte jusqu'à cette femme folle de peur. Ainsi elle l'entendait autrefois dans la torpeur de la sieste, et elle se hâtait de verser la dernière goutte de poison pour que la paix régnât de nouveau et que la muette mort pût achever son œuvre sans troubler le silence de la chambre et du monde.

C'est Marie qui s'avance vers elle, la tasse à la main, en tournant la cuiller dans le liquide. Marie s'approche du lit; elle est à contre-jour et incline sur le breuvage une figure aux traits indistincts. Elle n'a rien de sa mère... mais quand sa silhouette se détache sur une fenêtre, elle ressemble au fantôme de sa mère. C'est Thérèse elle-même qui s'approche de Thérèse.

— Non, Marie... Non.

Elle repousse la tasse d'un geste d'effroi, lève vers la jeune fille un regard de supplication. Marie comprend tout à coup; elle pourrait, comme elle le fait souvent, boire quelques gouttes : il suffirait de ce geste pour apaiser la malade. Peut-être y songe-t-elle? Pourquoi donc ne pas le tenter? Elle déclare durement :

— Il faut que vous buviez.

Et comme Thérèse est prise de ce tremblement qui ne l'avait plus secouée depuis son arrivée à Saint-Clair, Marie demande avec une fausse innocence :

— Ce n'est pas moi qui vous fais peur?

Voilà le sommet. C'est ici que Thérèse s'arrête et souffle. Elle ne pourrait aller plus avant. Elle a atteint, non pas la limite de la douleur humaine

mais la sienne propre, sa limite. Ici, elle paie
son dû; c'est la dernière obole qui lui est deman-
dée, qu'elle ne refusera pas. Elle ne tremble plus
et regarde Marie, lui prend la tasse des mains,
la vide d'un trait, les yeux toujours fixés sur ce
visage indistinct. Marie lui reprend la tasse comme
elle-même en débarrassait Bernard, il y a quinze
ans, et va la rincer dans le cabinet de toilette
comme elle faisait aussi.

Thérèse renverse sa tête dans les oreillers. Il
n'y a plus qu'à attendre ce moment où elle pourra
dire à Quelqu'un : " Voici votre créature épuisée
par cette lutte interminable contre elle-même,
selon ce que vous avez voulu. " Thérèse avait
tourné un peu la tête et regardait au mur le cru-
cifix de plâtre. Avec application, elle posa le pied
gauche sur le pied droit; ses bras s'écartèrent
lentement; elle ouvrit les mains.

Parce que Thérèse avait atteint le sommet,
déjà elle descendait l'autre versant : elle savait
maintenant que la tasse ne contenait aucun poison
et que Marie était innocente de ce crime. " J'étais
donc folle puisque je le croyais? " Mais tout le
reste? cet immense cauchemar? Le brouillard se
déchirait et ses yeux découvraient le monde réel.

— Marie!

La jeune fille se leva du fauteuil où elle était
prostrée.

— Qui as-tu rencontré ce matin? Non, ne tourne pas le dos à la fenêtre : tiens-toi de façon à ce que je voie ta figure...

— Vous voulez savoir qui j'ai rencontré? Un homme qui m'avait donné rendez-vous, qui m'attendait dans un endroit désert...

— Pourquoi veux-tu me faire peur, mon enfant?

— Je ne veux pas vous faire peur. Il n'est pas un de vos ennemis, celui qui m'a parlé tout à l'heure, à Silhet. Au contraire... et il viendra bientôt dans cette chambre.

— Personne au monde ne m'aime.

— Si! Quelqu'un qui m'attendait dans la métairie abandonnée... Vous voyez? Je n'ai pas besoin de vous dire son nom. Vous avez deviné.

— Tu l'as vu? Il t'attendait? Eh bien! regarde-moi dans les yeux. Ai-je l'air de le regretter? Marie, ne te rappelles-tu pas toutes mes démarches? Et ne t'avais-je pas prédit...

La jeune fille secouait la tête, de mauvaise grâce.

— Ne sais-tu pas ce que je désire ardemment?

Oui, peut-être... Mais elle se souvenait de Georges dans la cuisine de Silhet, de ses larmes.

— Vous, c'est possible... mais lui! ce que vous êtes pour lui...

— Petite sotte! dit Thérèse. Une vieille femme

qui écoute les histoires, qui fait semblant de les
comprendre, a toujours une espèce de prestige.
On l'admire, on l'aime bien, on est triste de la
voir mourir. Les jeunes gens n'ont personne à qui
parler. C'est si rare, à vingt ans, d'être à la fois
écouté et compris... Mais, ma chérie, c'est d'un
autre ordre... ça n'a rien à voir avec l'amour. J'ai
honte de prononcer le mot : c'est à pouffer de
rire dans ma bouche.

— Si vous aviez vu son chagrin...

— Mais bien sûr! Il tient à moi à sa façon;
je lui manquerai pendant quelques jours... Et
puis tu verras! Plus tard tu en auras plus que
ta part de ses histoires. Tu diras : " Si la pauvre
maman était là, elle m'en débarrasserait un peu... "

Elle riait en disant ces choses, d'un rire naturel qui la rajeunissait. L'aspect était pourtant
terrible de ses gencives découvertes. Mais oui,
c'était d'un autre ordre, songeait Marie. De quoi
allait-elle s'inquiéter? Tout de même, Georges
l'avait précédée à Silhet, il l'attendait avec un
désir de tendresse qu'elle avait déçu. Et elle
savait par expérience que les mécomptes de
ce genre le rendaient hostile, indifférent. Et
puis, comme c'est vrai ce que dit sa mère :

— A dix-sept ans, tu ne peux prétendre à tout
pénétrer dans un homme... Ton empire s'éten-
dra sur lui d'année en année... Tu verras!

Il ne pleuvait plus. Les platanes s'égouttaient sur la place.

— Tu devrais aller profiter du soleil, dans l'allée du midi.

— Mais vous, maman?

— Je vais fermer les yeux. Ne t'inquiète pas de moi... maintenant tu pourras me laisser seule : je n'ai plus peur.

Marie l'embrassa : " Vous êtes donc guérie? " Thérèse lui sourit en inclinant la tête, écouta ses pas décroître. Enfin! elle pouvait se repaître de ce qu'elle venait de découvrir : Georges avait souffert, il avait pleuré de la savoir mourante. Non! que cette joie s'éloigne d'elle! cette monstrueuse joie. Ces cœurs qui nous harcèlent encore aux portes de la mort comme si un arriéré de passion nous était dû, et qui nous accablent de tout leur poids, alors que déjà nous sommes a demi détruits... Il viendrait. Marie serait là. C'est à cette confrontation qu'il faut que Thérèse se prépare pour que rien n'apparaisse de sa douleur ni de son amour.

# XIII

Le premier soir où il vint, une seule lampe brûlait sur la table. Thérèse lui fit signe qu'elle ne pouvait parler. Il voyait sur le drap les bras squelettiques tachés de marron. Il ne discerna que peu à peu ce qui restait du visage : l'arête du nez, l'ossature du front et des mâchoires. Mais qu'il était vivant, ce regard dont il lui fallait encore soutenir la fixité intolérable! Comme il était debout près du lit, elle lui prit la main et Marie, un peu en retrait, les observait.

— Marie, approche-toi.

La petite fit quelques pas. Thérèse lui saisit le poignet et s'efforça de joindre leurs mains dans la sienne. Marie eut un mouvement de refus, mais Georges la retint de force jusqu'à ce qu'elle se fût abandonnée. Ils n'osaient se séparer parce que les doigts de Thérèse s'étaient refermés sur leurs mains unies.

Elle les desserra peu à peu. Ils la crurent endormie et gagnèrent la porte à pas de loup. Alors Thérèse rouvrit les yeux. Elle étouffait. Que Marie mettait de temps à revenir! Elle avait dû le raccompagner jusqu'au portail. Les pieds dans la boue et les feuilles pourries, peut-être échangeaient-ils leur baiser de fiançailles... L'affreuse douleur qui lui étreignait la poitrine s'apaisa lorsque Marie reparut enfin et s'assit au fond de la chambre, le plus loin possible du lit.

Thérèse ne déchiffrait rien sur cette face renversée et ne savait pas que la jeune fille pensait. " Je ne ferai pas, dans toute ma vie, la moitié du chemin que cette vieille femme vient de parcourir en quelques jours... C'est à cause d'elle qu'il me recueille, qu'il me ramasse. C'est pour elle. C'est en souvenir d'el'e... "

Thérèse était bien oin d'imaginer que son enfant pût nourrir une telle rancune. Si elle l'avait su, en aurait-elle éprouvé de la peine? de la joie? Elle-même n'aurait su dire la réponse qu'elle espérait en demandant tout à coup :

— Tu es heureuse, Marie?

La petite écarta la main qui couvrait ses yeux :

— Je croyais que vous dormiez...

La voix supplia de nouveau :

— Jure-moi que tu es heureuse.

Marie s'approcha de la table en disant : " C'est l'heure de votre potion... " Et de nouveau Thérèse fut attentive au bruit du flacon débouché, au tintement de la cuiller contre la tasse.

Vers le milieu de la nuit, la malade eut une crise. Revenue de sa syncope, elle vit d'abord la figure attentive de Marie.

— Que vous avez dû souffrir, maman !

— Mais non, je n'ai rien senti, sauf la piqûre quand tu as enfoncé l'aiguille...

Hé quoi ! ces râles, cette face violette n'étaient le signe d'aucune souffrance ? Ou bien pouvons-nous traverser un enfer de douleur et n'en garder aucun souvenir ?

Le médecin, mal réveillé, arriva, les yeux gonflés, les cheveux hérissés autour du crâne. Il avait boutonné son pardessus sur sa chemise de nuit. Après avoir ausculté Thérèse, il suivit Marie dans le corridor. Des éclats de voix dominaient leurs chuchotements :

— Oui, oui... Il faut les faire venir. Argelouse n'est pas si loin... Demain matin, à la première heure, mais pas plus tard.

Était-ce la fin ? Pourtant Thérèse ne se sentait pas mal. Il lui paraissait incroyable qu'elle pût mourir. Quand elle s'éveilla, Bernard Desqueyroux, encore vêtu d'une peau de bique, et Marie, debout, l'observaient. Elle leur sourit, assura qu'elle se sentait mieux. Bernard sortit en faisant craquer ses souliers, tandis que la jeune fille, après avoir rendu de menus soins à la malade, l'installait dans un fauteuil. Puis elle rejoignit son père sur le palier; Thérèse, cette fois, ne put surprendre leurs paroles, bien qu'elle eût reconnu le fausset de sa belle-mère. Toute la famille demeurait dans l'attente de l'événement : la vie était suspendue... Mais il y avait un malentendu, songeait Thérèse, elle n'allait pas mourir encore.

Bernard rentra; il avait quitté sa peau de bique :

— Je viens relayer Marie... Il faut que ces pauvres enfants puissent se voir...

Elle comprit alors que les fiançailles étaient conclues. Bernard s'assit à quelque distance et tira un journal de sa poche. Allait-il rester là toute la journée? Il sortit à l'heure de l'apéritif, revint dans l'après-midi, et demeura jusqu'à ce que Marie eût fermé les volets. Il fit de même les jours suivants. Il ne parlait pas; le papier craquait un peu entre ses doigts; puis soudain il tournait ou pliait la page dans un grand froissement·qui exaspérait Thérèse.

Il pénétrait une dernière fois dans la chambre au moment de la visite du docteur qui arrivait toujours assez tard, à la fin de sa tournée. Ce médecin sentait la pipe; sa barbe mouillée de

pluie ne dégoûtait pas Thérèse. Après une rapide
auscultation, il disait : " Mais c'est que ça ne va
pas plus mal ! " Ils devaient trouver qu'elle n'en
finissait pas de mourir... Pourquoi Georges Filhot
restait-il à Saint-Clair ? Qu'attendait-il, lui aussi ?
" On peut préparer ses examens de droit sans
suivre les cours ", assurait Marie. Peut-être d'ailleurs se déciderait-il à demeurer auprès de son
père qui avait besoin de lui : Paris ne l'attirait plus.
Un jour, la petite ajouta :

— Rappelez-vous : c'est après l'avoir vu que
vous avez eu votre syncope. Il viendra quand
vous serez mieux. Le médecin interdit toutes les
visites en dehors de la famille... Quoi ?

Et Thérèse, sans ouvrir les yeux :

— Mais, mon enfant, je n'ai pas envie de le
voir...


Ce Bernard qu'elle avait oublié s'installait
de nouveau dans sa vie. De nouveau, cette
présence, cet homme moins gros qu'autrefois,
plus négligé ; la tête basse, la nuque offerte,
muet, et ce regard sanglant d'un buveur d'apéritifs, qui a dû avoir une légère attaque. Ah !
elle ne se demandait plus comment il lui avait été
possible de commettre un tel acte... Maintenant
que le même homme était là et pesait sur elle de
tout son poids, rien ne lui paraissait plus simple

que ce désir de l'écarter, de le rejeter à jamais...
Elle avait manqué son coup, et il était là encore...
C'était elle qui mourait et lui qui la regardait
mourir, avec cette même impatience que ce fût
fini qui la possédait, quinze années plus tôt.

Il froissait le journal, se raclait la gorge, secouait
frénétiquement le petit doigt au fond de son
oreille; et quand il revenait du café Lacoste où
il avait sa table attitrée, il devait mettre souvent
la main devant sa bouche et s'excuser. Thérèse
feignait de vouloir dormir. Alors il passait dans
la chambre voisine, mais en laissant la porte
ouverte, et tout de même elle l'entendait vivre.
" Non, non, se disait-elle, je ne souhaite pas qu'il
disparaisse... " Sous les alluvions dont la vie, en
se retirant, l'avait recouvert, ce désir était toujours là, juvénile. éternel.

Thérèse ne se décidait pas à mourir. En somme,
elle allait mieux, se nourrissait très bien et en
avait fini avec ses terreurs. Sans doute, le cœur
" flancherait " d'une seconde à l'autre : " C'est
entendu, docteur, disait sa belle-mère, mais en
attendant il ne " flanche " pas... " Marie n'en
pouvait plus de veiller, Bernard, les jours de beau
temps, chassait : il fallait trouver quelqu'un.

Un matin, Marie demanda à sa mère si elle
se méfiait toujours d'Anna. Et comme Thérèse

haussait les épaules en disant : " Tu sais bien que j'étais folle... Pauvre petite Anna ! "

— Elle arrive ce soir... Elle rapporte votre linge... Oui, pour deux mois seulement : elle est fiancée à un chauffeur qui voyage avec ses patrons. Mais d'ici deux mois...

— D'ici deux mois ?

Marie devint rouge et dit :

— Vous serez guérie, maman.

La présence d'Anna changea sa vie. Marie et son père ne se manifestaient plus que pendant quelques instants, le matin et le soir. Thérèse était redevenue cette enfant que la présence de sa bonne rassure. Plus rien à craindre tant qu'Anna serait là. Elle semblait rendre les plus répugnants services par plaisir. Elle ne s'ennuyait pas : " Tout mon trousseau à faire, vous pensez ! " Elle avait maigri, et prétendait n'être pas impatiente de revoir son fiancé. Pourtant il lui faudrait repartir bientôt. Le chauffeur allait revenir... Il cherchait une place... Il ne tenait pas à Paris... Thérèse écoute cet humble verbiage et songe : " Je serai morte d'ici là. " Elle n'imagine plus maintenant qu'elle puisse vivre sans Anna.

Des profondeurs de la maison, tout à coup, la musique jaillit : un piano, un violon, un violoncelle emplissent l'après-midi sombre.

— Le phono,... dit Anna. Ils sont rentrés...

Par beau temps, lorsque les fiancés sortaient à cheval, on entendait, le matin, des piaffements dans la cour pavée. Et leur retour était annoncé de loin parce que les huit sabots claquaient sur la route gelée. Mais les jours de brouillard et de pluie, le phono seul dénonçait la présence de Georges. Il arrivait encore à Thérèse d'imaginer que cette musique étendait entre le garçon et Marie des ondes infranchissables. Elle seule, Thérèse, aurait pu s'avancer sur cette mer, s'approcher de l'enfant perdu... Il faudrait pourtant qu'on le laissât entrer dans la chambre une fois encore... Elle avait quelque chose à lui dire, quelque chose d'urgent... Il ne s'agissait pas d'amour... Qui sait pourtant si ce n'est pas à elle qu'il songe lorsqu'il met les disques du *Trio à l'Archiduc* dont elle se souvient de lui avoir parlé, un soir?

— Non! s'écrie Thérèse. Non!

— A qui criez-vous : non? Vous rêvez, pauvre Madame?

La servante s'approcha. Thérèse prit cette grosse main et la retint jusqu'à ce qu'elle la sentît devenir humide.

— Combien de temps encore, Anna, avant que votre fiancé revienne?

— Quinze jours, Madame.

— Quinze jours! mais vous n'y pensez pas!
Je serai vivante dans quinze jours!

— Bien assez vivante pour vous passer de
moi.

Vers le soir, comme Bernard était entré dans
la chambre, Thérèse dit :

— J'ai une dernière demande à vous adresser...
Non, rassurez-vous; ne faites pas cette figure :
ça ne coûtera pas très cher.

Il prit un air inquiet :

— Vous savez que la résine... Ça va de mal
en pis : vous avez vu les cours d'aujourd'hui?

— C'est une dernière fantaisie... Oui, pour
le temps où je serai encore là, je voudrais que
vous preniez un chauffeur... le fiancé d'Anna...

— Un chauffeur? vous êtes folle! J'ai ren-
voyé le mien, il y a déjà dix-huit mois. Un chauffeur! quand la résine...

— Oui, c'est pour qu'Anna puisse rester
auprès de moi. Ça ne durera jamais bien longtemps...

— Est-ce qu'on sait avec les maladies de cœur?
Vous avez bien trompé le médecin... Un chauffeur! et qu'est-ce que nous en ferions toute la
journée? Ah çà! par exemple! Si je m'attendais
à celle-là! Un chauffeur! Vous choisissez bien
votre moment!

Ce silencieux soudain l'étourdissait de paroles;

l'indignation le rendait loquace. Thérèse n'avait
pas la force de discuter. Rien à faire! elle allait
mourir et il lui refusait cela seul à quoi elle tînt
encore dans le monde, la présence d'Anna... pour
quelques billets! Elle qui avait offert d'abandonner
toute sa fortune... Elle dit dans un souffle :

— Puisque je donne tout ce que j'ai...

— Oh! maintenant...

Il s'interrompit trop tard... Thérèse savait
ce qu'il avait voulu dire : maintenant que de
toute façon ils hériteraient... Elle darda vers
lui un regard qu'il aurait pu reconnaître, après
quinze ans.

— Parlez, mes enfants... Je ne vous entends
plus.

— Mais nous parlons, grand-mère.

"Je croyais qu'elle était couchée", dit Marie
à voix basse. Et elle reposa sa tête sur la poitrine de Georges.

— Vous avez l'air d'un mort, mon chéri,
avec vos yeux fermés... Vous savez que maman
insiste pour que vous veniez la voir une fois
encore? Ah! j'ai trouvé le moyen de vous réveiller... Elle promet qu'elle n'aura pas de syncope,
cette fois-ci... Il paraît qu'elle a des choses impor-
tantes à vous confier...

— J'irai demain, si le docteur le permet...

— Oh! elle a toutes les permissions... Je me demande ce qu'elle veut vous dire... Vous me le répéterez?

Il ne répondit pas. L'horloge de la mairie sonnait longuement. Du petit salon, la vieille dame cria :

— Onze heures! Georges, je vous mets à la porte.

Il ignorait que presque chaque soir, en s'en allant, il réveillait Thérèse et qu'elle suivait le plus longtemps possible le bruit de ses pas dans le village endormi dont les chiens, tout à coup, aboyaient. Un peu de neige était tombée durant les trois derniers jours, mais avait fondu tout de suite en touchant le sol. Elle brillait faiblement sur les tuiles. Demain, il reverrait Thérèse. Thérèse ne s'en irait pas de ce monde avant que Georges lui eût confié ce qu'il repassait dans son cœur depuis tant de jours : " Je lui dirai... " Il leva les yeux vers les étoiles de l'hiver. Que lui dirait-il? Qu'elle pouvait s'endormir sans inquiétude à son sujet; qu'elle ne lui avait fait aucun mal; qu'elle n'avait fait de mal à personne; que c'était sa mission d'entrer profondément dans les cœurs à demi morts, pour les bouleverser; qu'elle mordait à même, jusqu'au tuf d'un être, et qu'alors il était assuré de donner son fruit... Ah! que lui importait Marie ou une autre femme, Saint-Clair ou Paris, les chantiers et les scieries paternelles ou l'école de Droit? C'était de cette source que Thérèse avait fait sourdre en lui, qu'il devait partir... Oui, de cette douleur, de cet élan toujours rompu vers une passion infinie. Il ne serait plus jamais content de lui-même, plus jamais satisfait... Il apprendrait à connaître les limites, en lui, au-delà desquelles s'étend cette passion infinie... D'affreux petits actes obscurs, accomplis dans la solitude et dans une sécurité profonde, nous définissent mieux que les grands crimes... Ainsi rêvait Georges, cette nuit-là, où son pas retentissait entre les murs du village désert.

· · · · · · · · · · · · · · · · · · ·

— Je reste sur le palier, dit aigrement Marie. Pas plus de cinq minutes : ordre du docteur! Dans cinq minutes je rentrerai.

Georges sentit qu'il haïssait la voix de cette femme auprès de laquelle il lui faudrait vivre et mourir. Il poussa la porte. Thérèse était assise au coin d'un feu vif. Elle lui parut d'abord engraissée; elle avait les joues pleines (à moins que ce ne fût une légère enflure). Les yeux semblaient plus petits. A côté d'elle, le guéridon supportait une sonnette, des fioles, une tasse à demi pleine.

On n'avait pas encore fermé les persiennes et les vitres étaient noires.

A peine un regard furtif que Thérèse détourna aussitôt... Il lui avait baisé la main, souriait. Mais elle paraissait soucieuse et remuait les lèvres comme si elle n'eût pas trouvé ses mots; et lui se taisait, pensant qu'elle devait parler la première.

— Voilà... mais d'abord, promettez-moi... Il s'agit... Je n'oserai jamais...

Et elle leva vers Georges un œil anxieux.

— Tout dépend de vous... Votre père a des camions, n'est-ce pas?

Il crut qu'elle délirait :

— Pourquoi des camions?

— Parce qu'il a déjà conduit des poids lourds... Oui, le fiancé d'Anna... Si votre père pouvait le prendre... Il a des certificats de premier ordre... Alors, je ne perdrais pas la petite... Je n'ose l'espérer, ce serait trop beau!

Elle cherchait avidement à deviner l'expression de Georges. Il ne paraissait pas content. Pourquoi ce visage crispé?

— Si ma demande vous contrarie...

Il protesta : " Mais non! " Il en parlerait à son père. Il ne croyait pas qu'il y eût en ce moment une place libre. Mais en attendant on pourrait toujours occuper ce garçon... Elle poussa un soupir de joie et regarda Georges. Il avait la tête

basse, un air sournois de mauvais chien, comme
cette nuit, rue du Bac... Une voix lointaine, étouffée par la distance, répétait à Thérèse : " C'est
lui, pour la dernière fois ! C'est l'enfant bien-
aimé... " C'était Georges. Quel coup venait-elle
de lui porter encore, pour qu'il la dévisageât
avec cet air de douleur ? Il vit le trouble de Thérèse. Voilà le moment venu de lui jeter ce qu'il
avait résolu de lui dire et que d'ailleurs elle ne
comprendrait plus. Il commença :

— Non, vous ne m'avez pas fait de mal...

Mais il avait oublié les autres paroles pré-
parées. Alors, au hasard, il posa cette question :

— Vous allez dormir maintenant ?

Marie ouvrit la porte et cria que les cinq
minutes étaient passées. Adossée au chambranle, elle observait Georges debout, un peu
penché vers le fauteuil de Thérèse qu'elle ne
voyait pas. Il sembla n'avoir pas entendu Marie
et répéta sa question :

— Vous allez dormir ?

La malade secoua la tête : elle ne dormait
plus guère parce qu'elle étouffait. Le temps
paraît long dans le noir.

— Vous prenez un livre ?

Non, elle ne pouvait plus lire :

— Je ne fais rien. J'écoute sonner les heures.
J'attends la fin de la vie...

— Vous voulez dire : la fin de la nuit?

Tout à coup, elle lui saisit les mains. A peine quelques secondes put-il soutenir le feu de ce regard tendre et désespéré :

— Oui, mon enfant : la fin de la vie, la fin de la nuit.

## ŒUVRES DE FRANÇOIS MAURIAC

*Parus aux Éditions Bernard Grasset :*

### ROMANS

L'Enfant chargé de Chaînes. — La Robe prétexte. — Le Baiser au Lépreux. — Le Fleuve de Feu. — Génitrix. — Le Désert de l'Amour. — Thérèse Desqueyroux. — Destins. — Trois Récits (nouvelles). — Ce qui était perdu. — Le Nœud de Vipères. — Le Mystère Frontenac. — Les Anges noirs. — Plongées. — La Fin de la nuit. — Les Chemins de la Mer. — La Pharisienne. — Le Mal.

### THÉÂTRE

Asmodée (pièce en cinq actes). — Les mal aimés (pièce en trois actes). — Le Feu sur la terre (pièce en 4 actes).

### ESSAIS ET CRITIQUES

La Vie et la Mort d'un Poète. — Souffrances et Bonheur du Chrétien. — Commencement d'une Vie. — Les Maisons fugitives. — Discours de Réception a l'Académie française. — Journal, tomes I, II et III. — Le Baillon dénoué. — De Gaulle. — Dieu et Mammon. — Ce que je crois.

### POÈMES

Le Sang d'Atys. — Orages.

*Chez d'autres éditeurs :*

### ROMANS

Le Sagouin. — La Chair et le sang. — Préséance. — Galigaï.

### THÉÂTRE

Passage du malin.

### POÈMES

Les Mains jointes, épuisé. — L'Adieu a l'Adolescence, épuisé. —

### ESSAIS ET CRITIQUES

Le Jeune Homme. — La Province. — Petits Essais de Psychologie religieuse. — Vie de Racine. — Blaise Pascal et sa sœur Jacqueline. — Bordeaux. — Pèlerins de Lourdes. — Jeudi Saint. — Vie de Jésus. — Sainte Marguerite de Cortone. — Journal. Tome IV. — Le Cahier noir. — La Rencontre avec Barrès. — Du coté de chez Proust. — Journal, édition en un volume. — Réponse a Paul Claudel a l'Académie française. — Mes Grands Hommes. — Supplément au traité de la Concupiscence. — Journal d'un homme de trente ans (extraits). — Le Roman. — René Bazin. — Le Drole. — Le Romancier et ses personnages. — La Pierre d'achoppement. — Mémoires Intérieurs. — Nouveaux Mémoires Intérieurs.

IMPRIMÉ EN FRANCE PAR BRODARD ET TAUPIN
7, bd Romain-Rolland - Montrouge - Usine de La Flèche.
LE LIVRE DE POCHE - 12, rue François I$^{er}$ - Paris.
ISBN : 2 - 253 - 00966 - 0